Don Bosco

Bekir Alboğa • Georg Bienemann • Werner Höbsch

Christen und Muslime Tür an Tür

Basiswissen kompakt

Don Bosco

Bibliografische Information der Deutschen Nationalbibliothek

Die Deutsche Nationalbibliothek verzeichnet diese Publikation in der Deutschen Nationalbibliografie; detaillierte bibliografische Daten sind im Internet über http://dnb.d-nb.de abrufbar.

ISBN 978-3-7698-1661-7
1. Auflage 2008

Umschlag: Manfred Lehner
Layout: Martin Veicht
Umschlagfotos: Georg Bienemann und KNA (rechts)
Produktion: Don Bosco Druck & Design, Ensdorf

Gedruckt auf umweltfreundlichem Papier

Die türkische Ausgabe ist erschienen unter dem Titel „DIYALOGA HAZIR“ („Dialogbereit“) im Anadolu Schulbuchverlag, Hückelhoven, ISBN 978-3-86121-350-5.

Inhalt

Worum es uns geht

Veränderungen in einer Gesellschaft sind Ausdruck von Lebenskraft und Dynamik, Stillstand ist Zeichen für Ermattung oder gar Niedergang einer Gesellschaft.
Veränderungen lösen allerdings auch immer Ängste und Unsicherheiten aus. Sie führen zu Spannungen, Krisen oder auch Konflikten. Gesellschaftliche Veränderungen verlangen von allen Mitgliedern die Bereitschaft und die Fähigkeit, sich den notwendigen Wandlungen zu stellen. Zu den Veränderungen in westlichen Ländern gehört die Entwicklung der Gesellschaft zu einer pluralen Gesellschaft, in der Menschen unterschiedlicher kultureller Herkunft und religiöser sowie weltanschaulicher Beheimatung Tür an Tür wohnen. Diese Entwicklung vollzieht sich schon seit einigen Jahrzehnten, tritt aber zu Beginn des 21. Jahrhunderts deutlich in das öffentliche Bewusstsein. Der Islam wird jetzt als eine Religion wahrgenommen, die in westlichen Ländern nicht nur zu Besuch ist, sondern dauerhaft präsent bleibt. Diese Veröffentlichung nimmt die bestehenden Spannungen und Ängste ernst und möchte helfen, diese Spannungen konstruktiv fruchtbar werden zu lassen.

In dieser Publikation geht es um Glaubenswege in der modernen Gesellschaft: Was glauben Muslime, was glauben Christen? Wie kann ein friedliches Zusammenleben aller Religionen und Weltanschauungen gelingen?
Die Begegnung mit Menschen anderer Kulturen und Religionen, mit anderen Gewohnheiten und Bräuchen geschieht fast tagtäglich in der Schule, am Arbeitsplatz, im Stadtviertel. Religion wird wieder öffentlich und auch für nicht Angehörende einer Religionsgemeinschaft zum Thema und zur Herausforderung. Der Dialog über Leben und Werte ist nicht mehr nur eine Angelegenheit für Spezialisten, sondern fordert neben den Lehrern und Erzieherinnen auch Ärzte und Pflegekräfte im Krankenhaus, Verantwortliche in Jugendarbeit, in Ausbildung, in Sportvereinen und an vielen anderen Orten heraus. An diese Menschen

richtet sich diese Publikation besonders und möchte helfen, sich einen (ersten) Überblick zu verschaffen.

Sachgemäße Informationen sind Voraussetzung zu Begegnung und Dialog. Die Veröffentlichung bietet wesentliche Informationen über Kultur und Religion, besonders über die des Christentums und des Islam. Sie informiert über religiöse Organisationsformen und Gemeinschaften in Christentum und Islam und gibt Anregungen zum interkulturellen Lernen und Dialog. Es werden Gemeinsamkeiten der Religionen herausgestellt, aber auch die Unterschiede benannt.

Wir haben diese Veröffentlichung so aufgebaut, dass Christen und Muslime sich jeweils über ihre eigene religiöse Herkunft, den Glauben, über alles das, was wichtig war oder ist, informieren und nachdenken können. Das ist u. a. „Erinnerungsarbeit“, denn für viele mag gelten, dass sie in ihrem Glauben eingeführt wurden, dort zu Hause waren und im Laufe der Jahre sich innerlich und vielleicht auch äußerlich von dem eigenen religiösen Weg verabschiedet haben.

Ausgehend von der eigenen (Glaubens-)Geschichte und den eigenen (Glaubens-)Erfahrungen ist es eher möglich, das kennen und verstehen zu lernen, was den Andersgläubigen wichtig ist. Muslime interessieren sich für Christen, Christen interessieren sich für Muslime. Daraus kann Dialog erwachsen.

Wer über die Grundinformationen hinaus mehr wissen will, kann sich auf die angegebenen Literaturhinweise verlassen. Neugierig geworden?
Wir als Autoren, zwei Christen und ein Muslim, haben uns um eine ausgewogene Darstellung bemüht. Wir haben im Prozess der Entstehung dieser Veröffentlichung selbst untereinander einen Dialog geführt, der uns immer wieder die Darlegungen mit dem Blick des anderen sehen ließ. Wir sind – und das bekennen wir freimütig – von unserer Religion geprägt worden. Das verdanken wir vielen Menschen: zuallererst unseren Eltern und Familien, Freunden und Freundinnen, Gruppen und vielen anderen, die uns zum Fragen, Suchen und Staunen angeregt haben.

Bekir Alboğa | Georg Bienemann | Werner Höbsch

Muhammed oder Muhammad?

Die überwiegende Anzahl der Muslime in der Bundesrepublik Deutschland spricht von „Muhammed“ und benennt so ihren Propheten und Gesandten Gottes. Andere Muslime (wir nennen sie hier in dieser Publikation nicht „Moslems“) benutzen den Namen „Muhammad“. Wir haben uns entschieden, die für die Mehrheit gängige Sprachweise zu verwenden. Dabei übersehen wir nicht, dass in der Fachliteratur zumeist der Prophet Muhammad genannt wird.

Streng genommen sind die in unseren Texten benutzten arabischen Worte mit bestimmten Akzentsetzungen („Haken und Ösen“) zu versehen. Auch hier haben wir zugunsten der einfacheren Lesart entschieden, weitgehend darauf zu verzichten.

Der Qur'ân wird von uns Koran geschrieben. Damit berücksichtigen wir gängige deutsche Sprach- und Lesegewohnheiten. Experten und Expertinnen mögen dafür Verständnis entwickeln.

In Worten wird Respekt vor dem Glauben und dem, was einem Menschen heilig ist, deutlich: Wir sprechen von der Heiligen Schrift der Christen und der Heiligen Schrift der Muslime; „Heilig“ jeweils groß geschrieben – aus Respekt. Wir schreiben auch der „Eine Gott“. Das hat nichts mit der Rechtschreibreform zu tun, sondern mit Achtung vor dieser Gottesbezeichnung.

Damit laden wir unsere Leserinnen und Leser ein, sich etwas in das Denken und Fühlen gläubiger Christen und Muslime hineinzuversetzen. Das hilft im Dialog.

Respektvolle Achtung gilt beispielsweise auch für den Umgang mit den Heiligen Schriften, der Bibel und dem Koran. Sie sind für Glaubende mehr als nur Papier und historische Dokumente. In ihnen manifestieren sich Gott und sein Wille. Wem das nichts sagt und bedeutet, der sollte trotzdem aus Respekt vor dem Glauben anderer mit diesen Schriften achtsam umgehen.

Bei Zitaten aus der Bibel haben wir in der Regel die Einheitsübersetzung gewählt, bei Zitaten aus dem Koran die Koranausgabe in der Übersetzung von A. Theodor Khoury, erstellt unter Mitwirkung von Salim Abdullah.

I. Einstieg in den Dialog

Gehen wir mit offenen Augen durch große Städte, fallen Versammlungsorte der Religionsgemeinschaften auf: evangelische und katholische Kirchen, eine Moschee, in größeren Städten gut gesicherte und bewachte Synagogen der Juden. Zum Straßenbild gehören Menschen aus nicht europäischen Kulturen, wahrzunehmen an ihrem Aussehen, ihrer Sprache und ihrer Kleidung. Frauen mit Kopftuch gehören ebenso zum Bild der Städte wie Mädchen mit freiem Bauchnabel, italienische Pizzerien und griechische Imbissbuden ebenso wie türkische Geschäfte und chinesische Restaurants.

Das Zusammenleben von Menschen unterschiedlich kultureller Herkunft gestaltet sich nicht immer einfach, oft treffen Welten aufeinander, Ängste breiten sich aus und Konflikte treten auf. Viele Fragen stellen sich und oft fehlen einfache Informationen.

Die 29-jährige Krankenschwester Silvia B. arbeitet auf der Geburtsstation eines großen Krankenhauses. Viele Frauen, die sie betreut, kommen aus der Türkei. Silvia B. möchte gerne wissen, wie diese Frauen leben und wie das mit ihrer Religion ist.

Axel M. ist 34 Jahre alt und Betriebsrat. Seine Kollegen sind überwiegend Muslime. In der Kantine gibt es hier und da interessante Gespräche über ihr Leben. Und dass diese Kollegen es hinbekommen, im Ramadan so konsequent zu fasten, das findet Axel schon bemerkenswert.

Ähnlich geht es auch Yilmar O. und Kathrin E., beide arbeiten im Jugendzentrum der Stadt. Hier haben sie täglich mit vielen muslimischen Jugendlichen zu tun. Da geht es häufig um „Gott und die Welt". Yilmar, selbst Muslim, fällt es oft schwer, Auskunft zu geben. Dies gilt auch seiner Kollegin gegenüber, die konkrete Fragen hat.

Lukas M. ist 19-jähriger Gruppenleiter. Als Ehrenamtlicher ist er wöchentlich mit Kindern in der Pfarrgemeinde zusammen. Einige der Kinder sind Muslime. Und Lukas sagt: „Ich weiß viel zu wenig über das, was sie glauben. Die paar Religionsstunden vor dem Abi kannst du vergessen. Da habe ich mich übrigens auch noch nicht für solche Themen interessiert. Aber heute käme das gut, wenn ich etwas mehr wüsste ..."

Und schließlich Melek Ö., die Germanistik an der Uni studiert. Im Grundkurs traf sie einige Mitstudentinnen, die ganz schön neugierig waren. Angenehm! Als Muslima das verstehen, was gleichaltrige Christinnen fühlen und denken, ja auch manchmal glauben, das erlebt sie als Herausforderung.

Die Gesellschaft in Deutschland, die religiöse und kulturelle Szene ist vielfältig und bunt geworden: Neben den großen Religionsgemeinschaften gibt es viele kleine Gruppen und Versammlungen von Menschen, die einen bestimmten religiösen Weg leben.

Lebensgeschichte wird Glaubensgeschichte

Eine riesige Bibliothek, kilometerweit nur Bücher. Zu finden sind gedruckte Exemplare, auch viele mit moderner Gestaltung, andere in altem Leder gebunden, sorgsam eingewickelt in Tüchern oder aufbewahrt in Spezialbehältern, handgeschrieben und verziert, Unikate – einmalig. Dazu kommen Schrifttafeln und Schriftrollen, Scherben aus Ton, die sich wie ein Puzzle zusammenlegen lassen. Ferner Textseiten auf Mikrofilmen gebannt, deren Originale nicht mehr vorhanden sind und inzwischen auch viele Werke auf Datenträgern in Bits und Bytes gespeichert und konfiguriert, in der Hoffnung, dass nachfolgende Generationen sie noch entschlüsseln und an ihren Bildschirmen lesen können. Unvorstellbar die Fülle an Informationen, das Erforschen und Fragen, das Suchen nach Antworten, das Begreifen großer Geheimnisse. Und immer wieder die Frage: Wer ist Gott? Und können Menschen sich in ihrer Begrenztheit Gott nähern, dem Ursprung, dem Schöpfer, dem Allmächtigen, dem Lebensgrund und Lebensprinzip, der immer ist und sein wird?

Vor vielen tausend Jahren haben Menschen bereits das aufgeschrieben, was sie von Gott verstanden hatten und wovon sie überzeugt waren, dass sich ihnen Gott offenbart habe. Sie haben ihre Überzeugungen für nachfolgende Generationen festgehalten. Ihr Fragen und Suchen, ihre Antworten und Zeugnisse wirken in unsere Zeit.

In der großen Bibliothek sind viele Glaubensgeschichten und viele Lebensgeschichten zu finden. Da haben einzelne Menschen, ganze Stämme und Völker Erfahrungen gemacht und sie haben diese Erfahrungen mit Gott in Verbindung gebracht. Sie erfuhren Heil, von Gott geschenkt. Sie erfuhren sich durch Gott gerufen und gerettet. Ihre Antworten waren Dankeslieder und Gebete. Gesetze und Ethik wurden zur Richtschnur.
Alles Fiktion, nur Täuschung oder gar kollektive Einfältigkeit?

In einer Stadt am Rande der Wüste sitzt ein alter Mann vor seinem Laden. Er trägt die Kleidung der Wüstenbewohner. Sein Kopf ist mit einem Tuch bedeckt. Bei ihm bekommt man alltägliche Dinge: Brot und Reis, Datteln, süße Limonaden, Maschendraht und Töpfe. Wenn kein Kunde da ist und keiner etwas von ihm will, sitzt er vor seinem Laden. In seinen Händen befindet sich eine kunstvoll beschriebene Holztafel. Auf der Tafel in arabischer Schrift eine Sure des Korans. Tagtäglich sitzt er da mit seiner Tafel in den Händen. Oft scheint es, als wenn er eingeschlafen sei oder sich gerade irgendwo anders befände. Dann plötzlich bewegen sich seine Lippen, er öffnet die Augen und schaut den Vorübergehenden an. Ein freundlicher Gruß, ein Wort, ein Lächeln – und dann wieder Stille ...

Suchen und Fragen

„Wie viel muss ich wissen, studieren, theoretisch klar haben, um mitreden zu können? Ich werde gefragt und bin eher verunsichert. Gott, wer ist das? Position beziehen, andere verstehen – zumindest etwas, das möchte ich schon. Irgendwie kommt es mir so vor, als wenn ich das alles bereits hinter mir gelassen hätte. Sind das nicht alles nur alte Kindergeschichten? Aber ich werde heute gefragt ...“
Wie lautet meine erwachsene Antwort?

Interesse am Dialog

Die Gesellschaft, die bunter und kulturell vielfältiger geworden ist, fordert heraus: Entweder beginnen Menschen als Antwort auf die neue Situation Mauern zu bauen und sich abzuschotten oder sie gehen aufeinander zu, wagen Begegnung und Dialog.

Der Interkulturelle Dialog beginnt mit Neugierde und Interesse am anderen. „Mich interessiert der Fremde, wie er lebt, was er wichtig findet, was er macht und wie er handelt, warum so und nicht anders." Aus ersten, vorsichtigen Fragen und Antworten entwickelt sich ein Gespräch, möglicherweise eine Einladung. Der Fremde bekommt einen Namen, sein Gesicht prägt sich ein. Und umgekehrt: Gegenseitiges Interesse baut Hemmnisse ab, vielleicht auch Vor-Urteile, ganz gewiss Unkenntnis.

Um sich besser verstehen zu lernen, ist eine Haltung wichtig, die sich so umschreiben lässt:

- auf gleicher Augenhöhe reden;
- Respekt vor dem anderen haben und vor dem, was andere wichtig finden;
- bereit sein, zu geben und zu empfangen;
- den (noch) Fremden ein wenig in das eigene Leben hineinnehmen, so gut es geht;
- gespannt sein, was sich entwickelt;
- Zeit und langen Atem haben.

Werden mit dieser Haltung positive Erfahrungen verknüpft, kann der Kreis größer gezogen werden. Da gibt es nicht nur den Nachbarn oder Kollegen aus einem fremden Land, einer fremden Kultur. Aus einem „multikulturellen Nebeneinander" wird ein „interkulturelles Miteinander". Gemeint ist: Nicht das Trennende, die Andersartigkeit und womöglich ein anderes Glaubensbekenntnis stehen oben an, sondern ein Klima des Interesses aneinander und ein Bewusstsein der Zusammengehörigkeit, weil Menschen sich ergänzen und die Gesellschaft bereichern. Es geht nicht um Gleichmacherei und um die Verdrängung unterschiedlicher Entwicklungsprozesse. Das Andere und der Andere dürfen und sollen anders sein und bleiben, aber sie sind nicht Anlass zur Ausgrenzung, sondern Grund, den Reichtum der Vielfalt zu erkennen.

Statistik

In Deutschland leben etwa 7,3 Millionen Ausländer und Ausländerinnen. Das ist ein Anteil von 8,8 Prozent an der Gesamtbevölkerung. Etwa 16 Prozent von ihnen sind junge Leute unter 18 Jahren. Wenn nun die bereits Eingebürgerten und auch die Aussiedlerfamilien dazu gerechnet werden, so erhöht sich die Zahl der Menschen mit Migrationshintergrund auf mehr als 15 Millionen.

Und nun interessiert auch die Religion: Weil bestimmte Festtage, Gebetszeiten, Bräuche und Regeln auffallen, entstehen Fragen. Oder ein gläubiger Muslim fragt seinen Kollegen nach seinem christlichen Glauben. Sprachlosigkeit. Das Sprechen über den Glauben oder den Nichtglauben ist häufig neu zu lernen. Neugierig geworden lässt sich auch diese Dimension des Lebens ein wenig ausleuchten. Das setzt Vertrauen voraus, auch eine Gesprächskultur, die nicht von Besserwisserei und Missionierungstendenzen geprägt ist. Der interreligiöse Dialog kann beginnen ...

Große Sensibilität und großer Respekt wird von allen Beteiligten erwartet, damit dieser Dialog gelingen kann. Warum? Weil es um die Freilegung der Wurzeln geht: Woher kommt jemand, was hat ihn geprägt, was war in seiner Kindheit wichtig? Wie lebte seine Herkunftsfamilie, welche Werte haben die Eltern vorgelebt? Hatte Gott einen Platz im Leben? Was wurde verinnerlicht? Und wovon hat sich eine Frau oder ein Mann später in mühsamer Arbeit getrennt, verabschiedet? Was ist aus dem Glauben der Kindheit geworden? Konnte der Kinderglaube reifen bzw. nachreifen? Oder wurde irgendwann ein Schlussstrich gezogen, Religion und Glauben sollten ausgedient haben, nicht mehr das Leben mitbestimmen?

Dieser Bezirksbeamte ist Muslim und kann sich gut – wegen der eigenen Migrationserfahrung – in Menschen aus anderen Kulturen hineinversetzen.

Wie viel Religion braucht der Mensch?

Braucht der Mensch überhaupt Religion? Es sieht so aus, als ob viele Menschen ohne Religion glücklich leben würden – auch viele Jugendliche scheinen ohne Religion gut auszukommen. Sie treffen sich mit ihren Freunden und Freundinnen, gehen Pizza oder Döner essen, ins Kino oder in die Disco. Gott ist kein Thema. Brauchen diese Menschen Religion in ihrem Leben?

Manche antworten: Religion ist für die schwierigen Situationen im Leben, etwa bei Krankheiten oder wenn einer verstorben ist, nützlich. Da kann sie Trost spenden und Hilfe sein. Religion hat dann eine ähnliche Funktion wie der Zahnarzt. Es ist gut, dass es Zahnärzte gibt, aber man hofft, von einem Besuch bei ihnen verschont zu bleiben.

Andere meinen, Religion sei gut fürs Gemüt – etwa an Weihnachten, bei Hochzeiten und Taufen. Religion ist gut, wenn es feierlich sein soll – so ähnlich wie ein Streichquartett, das zu bestimmten festlichen Anlässen dazugehört oder zumindest geduldet wird. „Religion bei Bedarf" – nach diesem Motto leben andere. Das, was möglicherweise an Religion gebraucht wird, kann besorgt und gekauft werden: Religiöse Angebote gibt es genügend, nicht nur von den Kirchen. So wie jemand sich hin und wieder eine Fußreflexzonenmassage gönnt oder einen neuen Bildband kauft, so kann er bzw. sie auch eine Meditation oder ein spirituelles Gespräch kaufen.

Allerdings: Wo Religion zur Ware wird, wo sie käuflich wird, ist sie keine Religion mehr.

Für gläubige Menschen ist Religion ein Verhältnis oder eine Beziehung, die sie eingehen, nämlich eine Beziehung zu Gott. Dies setzt im Übrigen – ähnlich wie bei Freundschaft und Liebe – eine persönliche und freie Entscheidung voraus. So wenig wie Liebe Einengung und Gängelung verträgt, so wenig auch die Religion. Religion ist eine Beziehung zu Gott, eine frei gewählte Bindung oder Verankerung, aus der heraus das Leben gestaltet und betrachtet werden kann.

Wie viel Religion braucht der Mensch? Diese Frage lässt sich, wenn man ehrlich ist, nicht beantworten, ebenso wenig wie die Frage: Wie viel Liebe braucht der Mensch? Da bleibt die Frage des alten Propheten Jesaja aktuell (dieser Text ist in der Bibel zu finden): „Warum bezahlt ihr mit Geld, was euch nicht nährt, und mit dem Lohn eurer Mühen, was euch nicht satt macht?“ Und weiter dann die Einladung Gottes: „Neigt euer Ohr mir zu, und kommt zu mir, hört, dann werdet ihr leben!“ (*Bibel: Jesaja 55,2a und 3a*) Brauchen nicht auch heute Menschen Brot, Brot für die Seele? Und braucht nicht in diesem Sinne jeder Religion?

Religion ist ...

Die Herkunft des Wortes Religion ist nicht eindeutig (von lat.: relegere = sich oft hinwenden; religari = sich zurückbinden). Religion wird als „sich festmachen/binden an etwas Größeres“ verstanden oder auch in der Bedeutung von „Gottesfurcht“ und „Frömmigkeit“. So sind die Suche und das Fragen nach dem, was die erfahrbare Wirklichkeit übersteigt (transzendiert), als religiöse Handlung zu verstehen, besonders die Suche und das Fragen nach Gott.

Menschen machen unterschiedliche Erfahrungen des „Heiligen“ und drücken diese in unterschiedlichen Begriffen und Vorstellungen aus. Das Judentum, das Christentum und der Islam sprechen von dem Einen Gott, der das Universum und alles Leben aus Liebe und Barmherzigkeit geschaffen hat. Allerdings ist das Gottesverständnis der drei großen monotheistischen Religionen unterschiedlich. Andere religiöse Traditionen sprechen nicht von Gott, sondern von dem Göttlichen oder dem Absoluten. Der Buddhismus verzichtet auf jegliche Gottesvorstellung und Verehrung, weshalb er von einigen als Philosophie und nicht als Religion angesehen wird. Da er sich jedoch als ein Weg zur Überwindung der leidvollen Zustände in dieser Welt versteht, bezeichnen ihn viele – auch Buddhisten – als Religion.

Gleich welches Gottesbild und welches Verständnis vom Absoluten gepflegt werden, unter Religion ist immer das Bemühen um Erkenntnis des Höheren/Absoluten, die Verehrung des Heiligen und ein Weg zum Heil des Menschen zu verstehen. Religionen sind gemeinschaftlich verfasst.

Religiosität ist nicht auf die Zugehörigkeit zu einer „Religion“ begrenzt, auch die Suche der Menschen nach Halt, Heilung und Heiligung außerhalb der Religionen wird als „religiös“ bezeichnet.

In der Moderne ist nicht nur eine Vielzahl von Religionen und religiösen Bewegungen auszumachen, sondern ebenfalls eine Vielheit innerhalb der einzelnen Religionen. Mit Blick auf die großen Religionen ist festzustellen, dass es dort im Verlauf der Geschichte zahlreiche Spaltungen gegeben hat. Diese haben zu einer Vielfalt an Lehren und Bekenntnissen geführt. Einige Richtungen nennen sich „rechtgläubig“, „orthodox“. Andere werden als modern oder fundamentalistisch bezeichnet. Vorsicht: Bereits Bezeichnungen sind wie Etiketten. Sie können verärgern und Menschen vorschnell in „diese“ oder „jene“ einteilen und sie be- und verurteilen.

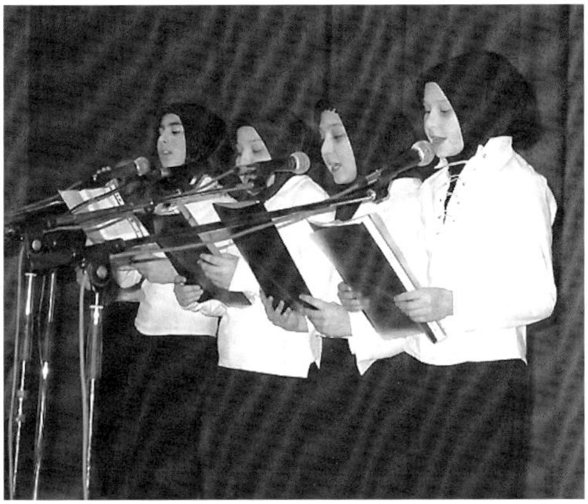

Mädchenchor: zum Lobe Gottes.

Freiheit – ein wichtiger Wert

„Die Freiheit des Glaubens, des Gewissens und die Freiheit der religiösen und weltanschaulichen Bekenntnisse sind unverletzlich.“ (*Art. 4 Abs. 1 des Grundgesetzes der Bundesrepublik Deutschland*)
„Die ungestörte Religionsausübung wird gewährleistet.“ (*Art. 4 Abs. 2 GG*)

„Jeder hat das Recht auf Gedanken-, Gewissens- und Religionsfreiheit; dieses Recht umfasst die Freiheit, seine Religion oder seine Überzeugung zu wechseln, sowie die Freiheit, seine Religion oder Weltanschauung allein oder in Gemeinschaft mit anderen, in der Öffentlichkeit oder privat, durch Lehre, Ausübung, Gottesdienst und Vollziehung von Riten zu bekunden.“ (*Art. 18 der Allgemeinen Erklärung der Menschenrechte*)

Die neue religiöse Szene: Noch bunter und pluraler wird es, wenn die vielen religiösen Praktiken, Angebote, Inhalte und Auffassungen (außerhalb der Religionsgemeinschaften) hinzukommen. Diese werden entweder aus der Tradition großer Kulturen (Kulte) und Religionen abgeleitet oder aus philosophischen Strömungen vor allem der letzten 100 Jahre (*siehe* S. 24/29/57).
Infos: www.remid.de/remid_info_zahlen.htm

Was Jugendlichen heilig ist

Sind heutige Jugendliche interessiert an Glaubensfragen, sind sie religiös? Mit diesen Fragen setzen sich Jugendstudien auseinander wie beispielsweise die Shell-Jugendstudie. Gefragt wird: Wie ist das bei Jugendlichen mit dem Gottesdienstbesuch? Beten sie? Glauben sie an ein Weiterleben nach dem Tod? Wie erleben sie religiöse Feste? Lesen sie in der Heiligen Schrift?

Eine erste wichtige Erkenntnis ist: Weibliche Jugendliche, egal ob christlicher oder muslimischer Herkunft, sind stärker an Glaubensfragen interessiert und leben auch stärker ihren Glauben. Eine zweite Feststellung: Muslimische Jugendliche (in der Bundesrepublik Deutschland) haben eine relativ starke Religionszugehörigkeit. Auch unter muslimischen Jugendlichen ist im Alltag eine steigende Tendenz zu areligiöser Lebensweise zu beobachten. Es fällt derzeit auf: Ein Viertel der deutschen Jugendlichen gehört keiner Religion an, die Zahl derer, die sich dem Christentum verbunden fühlen, ist nochmals kleiner. Dagegen gehören von den türkischen Jugendlichen (in der Bundesrepublik Deutschland wohnhaft) wesentlich mehr zum Islam. In Zahlen: ohne Religionszugehörigkeit sind 23 % der Deutschen und nur 5 % der türkischen Jugendlichen.

Nun sagt allein die Religionszugehörigkeit noch nicht allzu viel über die gelebte Religiosität aus. Danach gefragt, ob sie beten, sagen 18 % (m) / 31 % (w) der deutschen Jugendlichen, dass sie manchmal oder regelmäßig beten. Bei den hier lebenden türkischen Jugendlichen sind es 30 % (m) / 50 % (w).
Und bei der Frage nach dem Gottesdienst-/ Moscheebesuch sind es 14 % der deutschen Jugendlichen und 35 % der türkischen Jugendlichen, die Gottesdienste besuchen. – Bei allen Fragen wird deutlich: Mit zunehmendem Alter nimmt die Gruppe der Aktiven leicht ab. Das gilt für Gottesdienstteilnahme, Gebet und auch für die Frage nach einem Weiterleben der Toten. Immerhin 31 % aller befragten Jugendlichen glauben an ein Weiterleben nach dem Tod; allerdings ist der Glaube daran bei muslimischen Jugendlichen stärker ausgeprägt. – Interessant ist auch, dass 13 % (m) / 21 % (w) der Jugendlichen, die keiner Religionsgemeinschaft angehören, doch an ein Weiterleben nach dem Tod glauben und 17 % (m) / 22 % (w) der Jugendlichen, die nie beten, von einem Weiterleben überzeugt sind.

Und wie schaut es mit dem Lesen in den Heiligen Büchern aus? Im Vergleich der Religionszugehörigkeit sind es 19 % (m) / 23 % (w) der deutschen Jugendlichen, die in der Bibel lesen, zumindest manchmal. Bei der Frage „den Koran beten?“ sind es 11 % der muslimischen Jugendlichen, die sehr oft den Koran beten, 30 % oft, 32 % selten und 27 % nie (*13. Shell-Jugendstudie, Opladen 2000*).

Interessante Informationen sind in der 15. Shell-Jugendstudie, **Jugend 2006,** zu finden. Hier gibt es ein eigenes Kapitel zum Thema

„Jugend und Religion" und ein Kapitel zu „Zeitgeist und Wertorientierung": *Shell Deutschland Holding (Hrsg.), Jugend 2006 – Eine pragmatische Generation unter Druck. ISBN: 978-3-596-17213-9, Frankfurt am Main 2006.*

Religionsmündigkeit

„Nach der Vollendung des vierzehnten Lebensjahrs steht dem Kind die Entscheidung darüber zu, welchem religiösen Bekenntnis es sich anschließen will. Hat das Kind das zwölfte Lebensjahr vollendet, so kann es nicht gegen seinen Willen in einem anderen Bekenntnis als bisher erzogen werden."
(§ 5 RKEG/ Gesetz über die religiöse Kindererziehung)

Wie leben Jugendliche ihre religiöse Sehnsucht? Was ist ihnen wichtig und heilig? Hier geben die angegebenen Prozentzahlen nur eine beschränkte Auskunft. Bei großen religiösen Treffen, wie Kirchentage der evangelischen Christen oder Weltjugendtreffen der katholischen Christen, ist eine große Breite der Frömmigkeit zu erfahren. Leben und Glauben, ausgelassenes Feiern und stilles Gebet bilden eine Einheit. Und auch Jugendliche, die keiner großen Religion angehören, stellen religiöse Fragen, suchen religiöse Antworten. Wichtig ist vielen deutschen Jugendlichen, dass sie sich nicht „verbiegen" müssen. Sie bringen ihre Moral und ihre Wertvorstellungen in ihren Glauben ein. Religion hat etwas mit Freiheit zu tun. Sie sehen Gott als Grund des Lebens an, der sie zur Freiheit ruft. Für die meisten religiös lebenden und christlich geprägten Jugendlichen in Deutschland gilt: Sie lassen sich ihren Glauben nicht vorschreiben und schon gar nicht lassen sie sich zwingen, bestimmte Glaubensrituale zu vollziehen.
Glauben an Gott ist für sie nur möglich, wenn dies in großer Freiheit geschieht. Freiwillig werden „alte Regeln" gelebt, auch Traditionen sind dann wichtig. Zum Heiligen gehört für viele Jugendliche Treue, Hilfsbereitschaft und Solidarität mit anderen Menschen und der Schöpfung. Friede ist für sie ein wichtiges, religiöses Wort.

Muslimische Jugendliche im Westen werden unter den Bedingungen einer säkularen Gesellschaft erwachsen. Darin unterscheiden sie sich nicht von den nicht-muslimischen Jugendlichen gleichen Alters. Und doch ist ihr Weg zum Erwachsenwerden auch durch andere Faktoren geprägt. Sie erben oft Traditionen, die nicht immer dem wahren Wesen ihrer Religion entsprechen. Da jedoch die Gesellschaft häufig über den Islam nicht richtig informiert ist, werden falsche und nicht-islamische Verhaltensweisen für den Islam gehalten. Viele aus der jungen Generation der Muslime sind in Deutschland zur Welt gekommen und besitzen die deutsche Staatsangehörigkeit. Viele von ihnen fühlen sich mittlerweile als muslimische Deutsche oder Muslime in Deutschland. Das kulturelle Leben der muslimischen Jugendlichen, die ursprünglich aus der Türkei, Ägypten, Pakistan oder aus dem Senegal stammen, wird in gleicher Weise wie das Leben nicht-muslimischer Jugendlicher durch Mode, Musik, Technik, Medien usw. beeinflusst und geprägt. Über kurz oder lang werden sie sich als „echt" integrierte Muslime Deutschlands fühlen, mit ihrer kulturellen und religiösen Identität. Daher sind sie in vieler Hinsicht auch Produkte der Alltagskultur ihres Umfelds, ihrer Schule, des Stadtteils und des Milieus, in dem sie groß werden und leben. Materialismus und Säkularismus wirken sich auch auf die junge Generation der muslimischen Gesellschaft und Gemeinden aus (*siehe* S. *19f.*). Während viele Eltern sich um die religiöse Identität ihrer Kinder sorgen, konzentrieren sich viele junge Muslime auf ein unauffälliges Leben. Ihre religiöse Praxis nimmt spürbar ab. Manche Moscheegemeinden, die jetzt noch von Jugendlichen aufgesucht werden, machen sich ernsthaft über ihre Zukunft und den Erhalt eines vitalen Gemeindelebens Gedanken. Sie sind besorgt.

Viele junge Muslime erleben dies als Zerreißprobe und Konflikt. Sie stehen in Spannung zwischen ihrem religiösen Elternhaus und der Religionspraxis einerseits und einer nicht-religiösen Umgebung andererseits. Eine sachgemäße Einführung junger Muslime in den Glauben und die religiöse Begleitung hindert sie nicht am Leben in einer modernen Gesellschaft. Es fördert nach Auffassung der Verantwortlichen für die Erziehung bei vielen jungen Muslimen eine freie und selbstbewusste Entwicklung und ein positives Aufwachsen.

Wichtig: Das Gespräch mit Jugendlichen

Vorurteile sind abzubauen! Das gelingt, wenn Fremdes verstanden wird. Viele Jugendliche lösen ihre Unsicherheit und ihr Befremden den anders Denkenden und anders Glaubenden gegenüber, indem sie ihren inneren Konflikt

mit äußerer Gewalt zufriedenstellen wollen. Dann wird mit Fäusten statt mit Argumenten die Auseinandersetzung gesucht.
Auf der anderen Seite: Gelungene Beispiele innerhalb der Jugendarbeit und der Schule machen Hoffnung. Viele Jugendliche sind dialogfähiger geworden. Das schafft eine Kultur der Aufmerksamkeit und letztendlich des friedlichen Umgangs miteinander.
Übrigens: Schauen wir zu den Kindern. Sie haben hier die besten Fähigkeiten. Von ihnen können Jugendliche und Erwachsene eine Menge lernen. Kinder spielen unvoreingenommen miteinander, gleich welcher Herkunft.

Dialogarbeit ist Friedensarbeit.

II. Religiöse und kulturelle Begegnung

1960 besuchte Werner H. die zweite Klasse der Volksschule. Mit ihm gingen 30 Schüler in dieselbe Klasse; es waren nur Jungen, alle katholisch und alle Deutsche. Erst drei Jahre später auf dem Gymnasium, auf dem zur damaligen Zeit auch nur Jungen zugelassen wurden, waren evangelische und katholische Schüler in einer Klasse.
1990 besuchten die Kinder von Werner H. im gleichen Ort die Grundschule. Mädchen und Jungen gingen jetzt in eine Klasse, evangelische und katholische Kinder drückten ebenso die Schulbank wie griechisch-orthodoxe, muslimische und keiner Religionsgemeinschaft angehörende Schülerinnen und Schüler. Insgesamt waren Kinder aus sieben Nationen in einer Klasse vertreten.
Die Situation, in der Kinder heute lernen und erwachsen werden, hat sich völlig gewandelt im Vergleich zu der früheren Generation.

Die religiöse Landschaft hat sich in den letzten Jahrzehnten verändert. Sie ist bunter, vielgestaltiger und pluraler geworden. Diese Entwicklung ist besonders gefördert worden durch:

- Arbeitsmigration seit den 1960er Jahren, durch die viele Muslime damals als so genannte „Gastarbeiter" nach Deutschland kamen,
- Flüchtlingsbewegungen aus Kriegs- und Hungergebieten der Welt, durch die zum Beispiel in den 1960er Jahren mehr als 60.000 buddhistische Flüchtlinge aus Vietnam nach Deutschland kamen,
- Zuwanderung aus Osteuropa, durch die in den vergangenen Jahren zahlreiche Jüdinnen und Juden sowie orthodoxe Christinnen und Christen einwanderten.

Aber auch gesellschaftliche Entwicklungen, die zu mehr persönlicher Eigenständigkeit und Entscheidungsmöglichkeiten in religiösen Angelegenheiten beitrugen, ließen die religiöse Landschaft vielfältiger werden. Neue religiöse Bewegungen, fernöstliche Religiosi-

tät, esoterisches Denken und Fühlen breiteten sich in den letzten Jahrzehnten aus.
Die großen christlichen Kirchen haben schon längst ihre Monopolstellung eingebüßt und sind zu einem Teil der „religiösen Landschaft" geworden. Eine Untersuchung aus dem Jahr 2006 über die religiös plurale Landschaft in Nordrhein-Westfalen zählte etwa 230 religiöse Gemeinschaften in diesem Bundesland.

Religionen in Deutschland – ein kurzer Überblick

In der Bundesrepublik Deutschland sind die großen christlichen Konfessionen, also die Evangelische und die Katholische Kirche, mit jeweils rund 26 Millionen Mitgliedern die größten Religionsgemeinschaften. Etwa 3,4 Millionen Gläubige gehören dem Islam an, die in Deutschland nächst kleinere Religionsgemeinschaft nach dem Christentum. Etwa 80 % der Muslime sind Sunniten, ein kleinerer Teil gehört zu den Schiiten. Ungefähr 13 % der Muslime in Deutschland, das sind ca. 400.000 Menschen, sind Aleviten.

Heute leben an die 120.000 Mitglieder jüdischer Gemeinden in Deutschland. Die Zahl der Jüdinnen und Juden in Deutschland hat sich durch die Zuwanderung aus der ehemaligen Sowjetunion von 1994 bis heute mehr als verdoppelt.
Der Buddhismus in Deutschland bildet mit etwa 240.000 Personen, die sich dieser Religion zurechnen, ebenfalls eine beachtliche Gruppe.

Neben den großen Religionsgemeinschaften gibt es nach Schätzung von Religionswissenschaftlern weit mehr als 200 weitere, meist kleinere Religionsgemeinschaften in der Bundesrepublik Deutschland.
Die Menschen, die keiner Religionsgemeinschaft angehören, sind zahlenmäßig mehr als die katholischen oder evangelischen Christen. In Deutschland beträgt die Zahl der Konfessionslosen ca. 27 Millionen (etwa 32 % der Bevölkerung). Sie ist in den letzten Jahren ständig gewachsen. Die überwiegende Mehrheit der Bevölkerung in den neuen Bundesländern gehört dazu.

Die Präsenz des Islam in Deutschland: Organisationen und Verbände

Die Präsenz des Islam zeigt sich in Deutschland in vielen Organisationen und Verbänden. Dazu gehört eine große Anzahl Verbände, die zum sunnitischen Islam zählen. Und ferner gehören dazu Gemeinschaften mit einem eigenen Status wie beispielsweise die Aleviten. Da die Muslime in Deutschland überwiegend türkischer Herkunft sind, bestimmen die türkisch-islamischen Vereine das Bild des organisierten Islam.

Türkisch-islamische Verbände

DITIB – Türkisch-Islamische Union der Anstalt für Religion e. V.: Die 1984 gegründete „Türkisch-Islamische Union der Anstalt für Religion e. V." (Diyanet Işleri Türk Islam Birliği – DITIB) ist mit ca. 900 Moscheegemeinden die größte Dachorganisation muslimischer Gemeinden in Deutschland. Sie pflegt enge Verbindung zum „Präsidium für Religiöse Angelegenheiten" (Diyanet Işleri Başkanlığı) in der Türkei, da dieses Amt Imame in den Dienst der DITIB stellt. Bestimmend für DITIB ist das Prinzip der Laizität, der Trennung von Staat und Religion, wie in der Türkei seit mehr als 80 Jahren grundgelegt und praktiziert. Sie setzt sich u. a. zur Aufgabe, die religiöse und kulturelle Identität der Muslime türkischer Herkunft in Deutschland zu stärken, sie sozial einzubinden und in die deutsche Gesellschaft zu integrieren. Ebenso legt sie Wert auf den interreligiösen Dialog.
DITIB bekennt sich zur Verfassung, dem Grundgesetz der Bundesrepublik Deutschland, und fördert Aktivitäten, die dem gemäßigten und liberalen Islam entsprechen. Sie ist überparteilich und lehnt Radikalismus sowie Extremismus in jeder Form ab. Durch vielfältige Angebote von Deutschkursen und Hausaufgabenhilfen in ihren Mitgliedsvereinen wird die Bildung und Integration in Deutschland gefördert. Die seelsorglichen, kulturellen und religiösen Angebote erreichen eine sehr große Zahl von Muslimen.

Verband der Islamischen Kulturzentren e.V. (VIKZ): Ein weiterer türkisch-stämmiger Verband der Muslime ist der VIKZ mit etwa 300 Zweigstellen, etwa 160 Moscheen und etwa 21.000 Vereins- und ca. 100.000 Gemeindemitgliedern in Deutschland. Der VIKZ betont seine politische Unabhängigkeit und Überparteilichkeit. Gegründet wurde der Verband von Anhängern des Rechtsgelehrten und Mystikers Süleyman Hilmi Tunahan Efendi (1888 – 1959). Die Bewegung wird nach ihm auch als Süleymanci-Bewegung bezeichnet und hat heute noch mystische Züge. Der Gründer setzte sich zur Zeit der Säkularisation in der Türkei unter Kemal Atatürk für die weitere Durchführung von islamisch-religiöser Unterweisung (Korankurse) ein. Der VIKZ legt Wert auf Integration der in Deutschland lebenden Türken z. B. durch das Erlernen der deutschen Sprache. Die beim VIKZ tätigen Imame werden von der eigenen Gemeinschaft finanziert. Eine Einmischung in die türkische Politik wird abgelehnt und politische Meinungsbildung als Sache des Einzelnen angesehen.

Islamische Gemeinschaft Milli Görüs e.V. (IGMG): Die IGMG wurde 1985 als „Vereinigung der Neuen Weltsicht in Europa e.V." (AMGT) gegründet. 1995 teilte sich die AMGT in zwei unabhängige juristische Personen. Die IGMG übernahm die sozialen, kulturellen und religiösen Aufgaben, die „Europäische Moscheebau- und Unterstützungsgemeinschaft e.V." (EMUG) die Verwaltung des Immobilienbesitzes. Über die Mitgliederzahlen gibt es unterschiedliche Angaben: Laut dem Verband beträgt die Zahl der Gemeindemitglieder 210.000, nach Aussage anderer ist sie deutlich kleiner. Ca. 400 Moscheegemeinden in Deutschland gehören zur IGMG.

Die IGMG war in der Vergangenheit politisch auf die türkische „Saadet Partisi" (Glückseligkeitspartei), der Nachfolgeorganisation der „Fazilet Partisi" (Tugendpartei) von Necmettin Erbakan, ausgerichtet, die im Jahre 2001 verboten wurde.

Die IGMG wird regelmäßig im Bericht des Verfassungsschutzes erwähnt, wogegen die Mitglieder protestieren.

Andere Verbände

Das Islamische Zentrum Hamburg (IZH): Das IZH ist die bedeutendste Einrichtung des schiitischen Islam in Deutschland. Den größten Teil der Gemeinde bilden Muslime aus dem Iran. Das Zentrum steht der iranischen politischen und religiösen Führung nahe.

Organisation arabischer Muslime: Islamische Gemeinschaft in Deutschland (IGD) e.V.: Diese Gemeinschaft wurde 1982 in München gegründet und umfasst die bereits in den Jahren zuvor gegründeten islamischen Zentren arabischer Muslime, so beispielsweise das 1967 gegründete „Islamische Zentrum München". Diese Vereinigungen stehen in religiöser und politischer Hinsicht den Nachfolgeorganisationen der ägyptischen Muslimbruderschaft nahe und sind Mitglieder beim Zentralrat der Muslime in Deutschland (ZMD).

Organisation deutscher Muslime: Deutsche Muslim-Liga e.V.: Die Deutsche Muslim-Liga hat ihren Sitz in Bonn und versteht sich als eine Vertretung von Muslimen mit deutscher Staatsangehörigkeit. Sie ist im interreligiösen Dialog aktiv.

Muslimische Dachverbände

Islamrat für die Bundesrepublik Deutschland: Der Islamrat für die Bundesrepublik Deutschland wurde 1986 gegründet. Als Problem wird seitens der Politik und Teilen der Öffentlichkeit gesehen, dass die IGMG hier sehr dominierend ist. Der Vereinigung gehören derzeit etwa 30 Mitgliedsorganisationen an. Sie vertritt nur einen äußerst geringen Teil der Muslime.

Zentralrat der Muslime in Deutschland: Der Zentralrat der Muslime in Deutschland (ZMD) hat sich 1994 als bundesweiter Dachverband gegründet, dem heute 19 islamische Vereinigungen (deutsche, türkische, arabische, albanische, bosnische und persische Muslime) angehören. Dieser Verband vertritt nur einen kleinen Teil der in Deutschland lebenden Muslime.

Seit 2007 hat sich ein „Koordinierungsrat der Muslime in Deutschland" (KRM) gegründet, zu dem sich die Türkisch-islamische Union (DITIB), der Verband der islamischen Kulturzentren (VIKZ), der Zentralrat der Muslime in Deutschland (ZMD) und der Islamrat für die Bundesrepublik Deutschland (IRD) zusammengeschlossen haben. Der Koordinierungsrat möchte als Ansprechpartner für die Muslime in Deutschland gegenüber dem Staat und der Öffentlichkeit fungieren.

Sondergemeinschaften

Alevitische Gemeinde Deutschland (AABF) e.V.: Nach eigenen Angaben sind mehr als 400.000 Menschen in Deutschland Anhänger des Alevitentums. Die AABF pflegt die Kultur, Lehre und Spiritualität des Alevitentums und setzt sich für die Integration ihrer Mitglieder in die Gesellschaft ein (*siehe* S. *116*).

Cem Stiftung: Sie ist die zweite organisierte alevitische Gemeinde in Deutschland, ebenfalls in Anatolien entstanden und in der mystischen Alevi-Bektaschi-Tradition verwurzelt. Wie die AABF bemüht sich auch die Cem Stiftung um ihre Ausbreitung und Anerkennung in Deutschland.

Sekten und/oder Sondergemeinschaften

Auch das gehört zur religiösen Realität und Vielfalt: Als „Sekte" wird eine religiöse Gruppierung bezeichnet, die sich von einer bestehenden Kirche oder Religionsgemeinschaft abgespalten hat. Meist haben in der Vergangenheit unterschiedliche Auffassungen in der Glaubenslehre oder Praxis zur Abspaltung geführt. – Inzwischen wird der Begriff „Sekte" auch für nicht-religiöse Gruppen angewandt, beispielsweise „Psychosekte", „Politsekte". Wenn heute in der Öffentlichkeit von „Sekte" gesprochen wird, so meint man zumeist damit eine Gruppierung, die durch Einengung und Bevormundung ihrer Mitglieder sowie durch Abschottung gekennzeichnet ist. Daher ist es vielfach angebracht, eine religiöse Gruppierung nicht als „Sekte" zu bezeichnen – da der Sekten-Begriff sehr negativ und verurteilend benutzt wird. Viele sprechen lieber von „religiöser Sondergemeinschaft".

Eine neue Moschee der Ahmadiyya-Bewegung. In der islamischen Glaubensgemeinschaft ist sie nicht anerkannt.

Es gibt eine Reihe christlicher Sekten bzw Sondergemeinschaften, beispielsweise die Zeugen Jehovas, die Neuapostolische Kirche, die Siebenten-Tags-Adventisten, die Christengemeinschaft und viele andere.

Als eine islamische Sekte zählt die Ahmadiyya Muslim Jam'at, die von den Muslimen nicht als islamische Glaubensgemeinschaft anerkannt wird. Diese religiöse Sondergemeinschaft macht eine intensive Öffentlichkeitsarbeit. 1922 kamen erste Anhänger nach Deutschland und eröffneten bald in Berlin eine Moschee. Wichtige Orte dieser Gemeinschaft sind Hamburg und Frankfurt. 1989 verkündigte ihr 4. Kalif für Deutschland ein Programm des Baus von 100 Moscheen bis 2010. Die Ahmadiyya-Bewegung stellt sich in der Öffentlichkeit als friedliebende, demokratische, dialogbereite und sozial engagierte Gruppe dar. Allerdings wird immer wieder Kritik an dieser Gruppierung laut.

Ein Missionar einer christlichen Sondergemeinschaft spricht Jugendliche auf der Straße an.

(*Infos dazu: EZW, Materialdienst 8/2006 – Artikel zu beziehen bei den Autoren, Telefax: (0251) 518609*)

Buchtipp: Eine Auseinandersetzungshilfe für Fachkräfte in sozialen Berufen: *Georg Bienemann, Gefahren auf dem Psychomarkt. Was bedeutet Prävention?*
Infos zu „christlichen Sekten", Sondergemeinschaften, Psychokulten, Esoterik, Okkultismus usw. im folgenden Buch: *Georg Bienemann, Werner Höbsch, Im Supermarkt der Religionen – Ein Jugendlexikon.*
Bestellung beider Publikationen unter Telefon: (0251) 54027, Telefax: (0251) 518609. Stark reduzierter Abgabepreis.

Die Zukunft: multikulturell und multireligiös

Die kulturelle und religiöse Vielfalt wird in Deutschland von Dauer sein und sie wird noch größer werden. Die errechnete Bevölkerungsprognose zeigt deutlich: In Deutschland wird es in den nächsten 20 bis 30 Jahren zu einem weiteren Anstieg der Bevölkerung mit Migrationshintergrund kommen und damit zu einer größer werdenden Zahl von Menschen aus anderen Kulturen. Die Zahl der in Deutschland lebenden Migranten wird sich nach einer Prognose voraussichtlich von derzeit 7,3 Millionen bis zum Jahre 2030 auf 12,6 Millionen erhöhen und damit auch ihr Anteil an der gesamten Bevölkerung.

Die Zuwanderung aus dem Ausland erfolgt vor allem in die größeren Städte. Ein bundesweiter Anteil von Menschen mit ausländischer Herkunft von 17 % bis 20 % bedeutet daher, dass in vielen Städten bzw. Stadtteilen der Migrantenanteil auf über 40 % steigen wird. Neuere Untersuchungen, die das Kriterium der Zuwanderung mindestens eines Elternteils zugrunde legen, kommen zu dem Ergebnis, dass Jugendliche mit Migrationshintergrund ein Drittel der Jugendlichen Deutschlands insgesamt ausmachen. In den Städten Westdeutschlands kommen sie bei den 15-Jährigen auf bis zu 40 %.

Für zugewanderte Kinder und Jugendliche, aber auch für Jugendliche, deren Eltern nach Deutschland eingewandert sind, ist die Auseinandersetzung mit der Erfahrung dieser Zuwanderung, mit ihrer Herkunft und ihrer Religion zwingender Bestandteil ihrer Sozialisation und ihres Erwachsenwerdens.

Fragen stellen sich: Wird es der Gesellschaft gelingen, zu einem respektvollen Miteinander zu kommen und gemeinsam in Frieden zu leben? Was verbindet Menschen unterschiedlicher kultureller Herkunft und unterschiedlicher religiöser und weltanschaulicher Überzeugungen in einer modernen Gesellschaft? Hierauf eine Antwort zu geben, ist die Sache aller: von Einheimischen und Zugewanderten, von Christen, Muslimen, Juden sowie Menschen anderer religiöser oder weltanschaulicher Überzeugung.

Beispiel Köln-Chorweiler

In fast jeder deutschen Großstadt gibt es Stadtteile, in denen ein hoher Anteil von Menschen ausländischer Herkunft anzutreffen ist. Als Beispiel sei in Köln der Stadtteil Chorweiler genannt. In Köln-Chorweiler leben Menschen aus über 100 Nationen Tür an Tür zusammen. Damit sind alle Weltkonflikte als potenzielle Konflikte gegenwärtig. 2006 lag in Köln der Anteil der ausländischen Bevölkerung bei 17,2 %. Mit Werten von etwa 40 % sind die höchsten Anteile in den Stadtteilen, die durch Großwohnsiedlungen geprägt werden wie Köln-Chorweiler.

In Köln lebende Migrantinnen und Migranten sind zu 40 % türkische Staatsbürger. Ein hoher Anteil türkischer Bevölkerung befindet sich folglich in Chorweiler, in dem etwa jeder fünfte Einwohner türkischer Herkunft ist.

Dort, wo die meisten Zuwanderer wohnen, herrscht die größte Armut u. a. aufgrund der hohen Arbeitslosigkeit unter ihnen. In Chorweiler ist deswegen annähernd jeder Dritte auf Sozialhilfe angewiesen. Es fällt auf, dass in den Kölner Stadtteilen mit den überdurchschnittlich hohen sozialen Problemlagen gleichzeitig anteilmäßig die meisten Kinder und Jugendlichen wohnen.
Die Situation in Stadtteilen mit sozialer Benachteiligung und einem hohen Bevölkerungsanteil mit Migrationshintergrund machen sich immer wieder rechte Kräfte und Gruppierungen zu Nutze, um Spannungen und Konflikte innerhalb der Bevölkerung zu erzeugen oder zu verstärken. So hoffen sie, eine Akzeptanz und einen Rückhalt für ihre fremdenfeindlichen Gesinnungen und Praktiken zu finden.
In einer Gesellschaft, die übealtert, sind die von sozialen Problemlagen gekennzeichneten Stadtteile gleichzeitig die jüngsten. Welche Voraussetzungen müssen erfüllt sein, dass Menschen in Stadtteilen wie Chorweiler weiterhin friedlich zusammenleben? Zur Begegnung, gegenseitiger Achtung und zum Gespräch miteinander gibt es keine Alternative.

Dialog in Köln-Chorweiler und ähnlichen Stadtteilen bedeutet nicht in erster Linie das tief schürfende Gespräch über religiöse Themen, sondern ist zuerst Begegnung und Gespräch über Alltägliches: Dialog des Lebens.
Dann bedeutet Dialog: Gemeinsam etwas unternehmen, sich einsetzen für einen Kinderspielplatz im Viertel oder für eine verkehrsberuhigte Zone. Wenn ein Kinderspielplatz fehlt, so fehlt er für die Kinder von Christen, Muslimen und Religionslosen: Dialog des Handelns.
Fragen, die interessieren: Woher kommst Du? Wo sind Deine Eltern geboren? Wo bist Du geboren?
Was ist Deine Heimat? Was verbindest Du damit? Was verbindet Dich mit anderen Menschen Deiner Altersgruppe, was unterscheidet Dich? Was ist in Deinem Leben anders als im Leben Deiner Eltern?

Die Situation aus einer muslimischen Sicht

Viele Muslime in Deutschland leiden an dem Bild, das in der Öffentlichkeit von ihnen und ihrer Religion gezeichnet wird. Sie beklagen, dass vielfach eine einseitige und negative Berichterstattung in den Medien das Bild des Islam in der Öffentlichkeit beeinflusst. Infolgedessen wird der Islam mit Angst und Unsicherheit betrachtet. Viele möchten hierzulande, dass die Religion des Islam und die muslimische Präsenz unsichtbar und unbemerkt bleiben: Muslime ja – aber Moscheen mit Minarett nein. Ebenso ja zu muslimischen Frauen – jedoch ohne Kopftuch.

Viele in Deutschland haben noch nie mit einem Muslim gesprochen und verstehen auch nicht, was Muslime mit ihrer Religionsausübung bezwecken.

Die junge Generation der Muslime, Frauen wie Männer, will nichts anderes als von ihren im Grundgesetz verbrieften Rechten Gebrauch machen. Viele von ihnen sind in Deutschland zur Welt gekommen, haben die deutsche Staatsangehörigkeit mit Migrationshintergrund oder sind deutscher Abstammung. Die deutschstämmigen Muslime können mit der Forderung nach Anpassung nichts anfangen. Sie sind muslimische Deutsche und sehen Deutschland als ihr Heimatland an.

Auch sind Muslime allgemein mit der Integration einverstanden. Sie sind entweder tatsächlich schon integriert oder machen diesen Prozess durch. Dabei kommt es nur darauf an, ob sie sich unter Wahrung und Bewahrung ihrer legitimen Ansprüche auf ihre Gesellschaft einlassen können. Sie wünschen sich, ihre Rolle als Bürger, aber als muslimische Bürger, wahrnehmen zu können. Langjährige Erfahrungen im Bereich der Migrationsarbeit wie auch auf dem Gebiet der interreligiösen und multireligiösen Arbeit bestätigen die Erkenntnis: Wenn Muslime ihre religiösen Pflichten frei erfüllen dürfen und sie ihre religiöse Identität als Muslime behalten können, besteht kein Widerspruch zwischen der Zugehörigkeit zu einer demokratisch verfassten Gesellschaft und zur Religion des Islam.

Es trifft überhaupt nicht zu, dass nur die so genannten „modernen“ Muslime, die weder ihre Religion praktizieren noch ihre muslimische Persönlichkeit bekunden (deshalb auch „Kulturmuslime“ genannt), vertrauenswürdig sind. Frömmigkeit und Religionspraxis dürfen nicht mit Radikalismus verwechselt werden. Die Vielfalt der Religionen und Kulturen ist nicht eine Gefahr, vielmehr ein Reichtum und eine Chance für Deutschland.

Die muslimischen Dachverbände erwarten, als Religionsgemeinschaft mit dem Status „Körperschaft des öffentlichen Rechts“ anerkannt zu werden, um rechtlich mit christlichen und jüdischen Religionsgemeinschaften gleichgestellt und gleich behandelt zu werden.

Viele Muslime machen die Erfahrung, dass sie in der Gesellschaft benachteiligt werden, etwa bei der Bewerbung um einen Arbeitplatz trotz guter Qualifizierung oder bei der Suche nach einer Wohnung. Sie erfahren, dass sie unerwünscht sind. Wer sich gleichbehandelt und anerkannt fühlt, bei dem wird die innere Bereitschaft zur Integration und Innovation spürbar größer sein.

Ein persönlicher Wunsch: Ich wünsche, dass die Gastfreundschaft, die sich Deutschland im Rahmen der Fußballweltmeisterschaft 2006 auf die Fahnen geschrieben hat, auch nach der WM eine der Tugenden bleibt, mit denen Deutschland sich der Welt bekannt macht. Dafür ist die entschiedene Bekämpfung des Rechtsradikalismus unentbehrlich. Nicht nur Deutschland, mittlerweile sind fast alle Länder in Zuwanderungsgesellschaften verwandelt. Keine Nation kann mehr ihre Probleme allein lösen.

III. Gemeinschaften im Glauben

Auf der Geburtsstation des Städt. Krankenhauses bekommt Frau M. ihr erstes Kind. Mit großer Freude hat sie auf diesen Tag der Geburt gewartet. – Viele Familienmitglieder sind in der Nähe. Ihre Cousine und eine Tante sind bei der Geburt anwesend und freuen sich nun mit der jungen Mutter über die Geburt des Kindes. „Ein kleines Mädchen", sagt die Hebamme und legt der Mutter das Kind in die Arme ... In der Sitzecke vor der Geburtsstation sind viele aufgeregte und freudige Stimmen zu hören. Die gute Nachricht ist auch dort angekommen. Das neugeborene Mädchen ist Muslima, so wie ihre Familie Muslime sind. Der Vater verteilt Geschenke an die Anwesenden als Dank für die Gnade und das Geschenk Gottes. Fatima rufen ihre Eltern sie an und geben ihrer Tochter den Namen der Tochter ihres Propheten Muhammed.

Zur gleichen Zeit im benachbarten Kreißsaal ist gerade Katharina geboren. Die Eltern hatten den Namen schon festgelegt, denn seit Monaten wussten sie, dass sie eine Tochter erwarteten. Der Vater des Kindes hat die lange Zeit des Wartens ausgehalten und war bei der Geburt hilfreich anwesend. Große Freude bei den Eltern. Katharina ist ihr erstes Kind. – Die Eltern gehören zur evangelischen Gemeinde der Stadt. Wird Katharina Kirchenmitglied? Soll sie getauft werden? Wie wird ihr zukünftiger Weg als Christin aussehen? Das sind Fragen, die die jungen Eltern miteinander und auch mit Freunden besprochen haben.

Das Leben achten und schützen

Für Muslime und für Christen ist jedes neugeborene Kind ein großes Geschenk. Auch wenn biologische Vorgänge heute besser verstanden werden, so bleibt es doch für gläubige Menschen ein großes Wunder, dass neues Leben entsteht und sich der Mensch in seiner Einzigartigkeit entwickelt. Gott wird verstanden als Schöpfer und Urheber des Lebens (*siehe S. 56/62f.*). Nach jüdisch-christlichem Verständnis schuf er den Menschen nach seinem Ebenbild: „Gott schuf also den Menschen nach seinem Abbild; als Abbild Gottes erschuf er ihn. Als Mann und Frau erschuf er sie." (*Bibel: Genesis 1,27*) Auch der Islam sieht die Würde und den Wert des Menschen in seiner Erschaffung durch Gott begründet. Der Mensch ist Gottes Stellvertreter bzw. sein Statthalter auf Erden. Darin ist seine Verantwortung für alles, was lebt, und die gesamte Schöpfung begründet.

Die Würde des Menschen

Der Koran betont die Würde und herausragende Stellung des Menschen unter allen Geschöpfen und unter allem Geschaffenen:

„Wir haben den Kindern Adams Ehre erwiesen; Wir haben sie auf dem Festland und Meer getragen und ihnen von den köstlichen Dingen beschert, und Wir haben sie vor vielen von denen, die Wir erschaffen haben, eindeutig bevorzugt." (*Koran 17,70*)

„Tötet nicht eure Kinder aus Furcht vor Verarmung. Ihnen und euch bescheren Wir doch den Lebensunterhalt. Sie töten ist eine große Sünde." (*Koran 17,31*)

Und als dein Herr zu den Engeln sprach: „Ich werde auf Erden einen Nachfolger [Statthalter] einsetzen", sagten sie: „Willst Du auf ihr einen einsetzen, der Unheil stiftet und Blut vergießt, während wir dein Lob singen und deine Herrlichkeit rühmen?
Er sprach: „Ich weiß, was ihr nicht wisst." Und Er lehrte Adam alle Dinge samt ihren Namen. Dann führte Er sie den Engeln vor und sprach: „Tut mir die Namen dieser kund, so ihr die Wahrheit sagt." Sie sagten: „Preis sei Dir! Wir haben kein Wissen außer dem, was Du uns gelehrt hast. Du bist der, der alles weiß und weise ist." Er sprach: „O Adam, tu ihnen ihre Namen kund." Als er ihre Namen kundgetan hatte, sprach Er: „Habe Ich euch nicht gesagt: Ich weiß die Geheimnisse der Himmel und der Erde, und Ich weiß, was ihr offen legt und was ihr verschweigt?" (*Koran 2,30 – 33*)

Darum setzen sich viele Christen und Muslime auch für den Lebensschutz „von Anfang an“ ein. Hier gibt es unter Christen und Muslimen eine hohe Übereinstimmung: Das ungeborene Leben ist zu schützen!
Die christlichen Kirchen lehnen die Abtreibung ab, da nach ihrer Überzeugung vom Augenblick der Zeugung an der Mensch ein vollwertiger Mensch ist. Auch wenn er sich noch weiter entwickelt, ist seine Würde von Anfang an zu achten.
Der Schutz des ungeborenen Lebens gilt auch für den Islam: Abtreibung wird als Vergehen gegen Allah angesehen und ist daher aus dem Glauben heraus moralisch verwerflich. Manche Rechtsschulen im Islam sehen ab dem Zeitpunkt der Zeugung den Menschen als vollwertigen und beseelten Menschen an. Diese Auffassung stimmt mit der christlichen völlig überein. Nach anderer islamischer Auffassung findet die Beseelung des Ungeborenen am 90. oder 120. Tag in seiner Entwicklung statt. Vor dieser Beseelung ist, wenn begründet und dringend erforderlich, ein Schwangerschaftsabbruch erlaubt.

Willkommen im Leben

Ein Kind kommt als Muslim zur Welt: Das Kind gehört automatisch der muslimischen Gesellschaft an. Inwieweit ein Kind zur bewussten muslimischen Gläubigkeit findet, hängt von vielen Faktoren ab: Hat es Eltern und Menschen in der Nähe, die es in den Glauben einführen? Wird es zu Festen und zum Gebet mitgenommen? Lernt es den Koran kennen und findet eine religiöse Einführung und Unterweisung statt? Bietet die Moschee oder die Schule einen eigenen Religionsunterricht an? Unterweisungen im Koran, das Erlernen religiöser Gebote und die Kenntnis über die islamische Ethik erfolgen in Korankursen. Wichtig für die religiöse Erziehung eines jungen Muslims wird auch der islamische Religionsunterricht in der Regelschule sein, der bisher in Deutschland nicht regulär eingeführt ist.

Da das Neugeborene ein friedlicher Mensch in Gottergebenheit ist, kennt der Islam keine Taufe. Nach der Geburt eines Kindes laden die Eltern den Imam ins Krankenhaus ein oder bringen das neugeborene Kind zu ihm in die Moschee. Oder der Imam wird, nachdem Mutter und Kind aus dem Krankenhaus entlassen sind, nach Hause zur **Namensgebung** des Kindes eingeladen. Vor der Namensgebung spricht der Imam leise und behutsam den muslimischen Gebetsruf ins rechte und linke Ohr und ruft das Kind dreimal. Dann folgt ein Bittgebet um den Segen Gottes für ein gesundes, langes und glückliches Leben des neugeborenen Kindes und für die Glückseligkeit seiner Eltern im Diesseits und Jenseits. Diese Zeremonie können auch der Vater oder andere Familienmitglieder bzw. Verwandte ausführen, die den Gebetsruf rezitieren können. Dieses Geschehen ist die erste religiöse Erfahrung des Kindes bereits in seinen ersten Lebenstagen.

Aufnahme in die Gemeinschaft der Gläubigen.

In einer praktizierenden muslimischen Familie erlebt und lernt ein Kind das **religiöse Leben** am Beispiel seiner Eltern. Wenn sie regelmäßig beten, hört das Kind die Koranrezitationen natürlicherweise mit und wird dadurch geistlich geformt. Dies gilt für alle religiösen Praktiken in der Familie, wie das Waschen der Hände vor dem Essen und das Gebet „bismillahirrahmanirrahim – im Namen Gottes, des Allerbarmenden, des Barmherzigen“ zu Beginn des Essens und das Dank- und Lobwort an Gott „elhamdulillah – Lob sei Gott“ nach dem Essen.

Wird das Kind älter und geht mit dem Vater oder der Mutter gelegentlich in die Moschee, dann erlebt es dort das **Gemeindeleben und das Gebet in der Gemeinschaft** als neugieriger Beobachter. Wenn die Eltern ihr Kind im Alter etwa zwischen 7 und 10 Jahren bei einem

Wochenend-Koranku rs in einer Moschee anmelden, dann erhält es dort Unterricht im Lesen des Korans und lernt Gebete sowie einige wenige kurze Suren aus dem Koran auswendig, um sie später aus dem Gedächtnis zitieren bzw. rezitieren zu können. Das erste Erlebnis eines Freitagsgebetes, eines Ramadan- und Opferfestes oder des Fastens bzw. des Fastenmonats Ramadan helfen ihm in der Entwicklung seiner religiösen Identität.

Wenn Großeltern oder Eltern zur Pilgerfahrt zum Gotteshaus Kaaba in Mekka aufbrechen, erlebt das Kind eine großartige Verabschiedungszeremonie in der Moschee. Das bleibt für das muslimische Kind eine unvergessliche Erinnerung – lebenslang. Das Beschneidungsfest für Jungen ist ein besonderes Fest, das die religiöse Identität wesentlich prägt.

Wenn Eltern nicht religiös interessiert sind, nimmt das Kind nur das als islamische Religion wahr, was es in seinem Umfeld erfährt. Das bietet allerdings nicht immer ein sachgemäßes Bild vom Islam. Hier zeigt sich nach Auffassung vieler äußerst negativ das Fehlen eines flächendeckenden islamischen Religionsunterrichtes am stärksten.

Beschneidung

Bei den Jungen ist die Beschneidung ein wesentlicher Schritt auf dem Weg der Entwicklung seiner muslimischen Identität. Die Beschneidung, die auf Abraham (Ibrahim) zurückgeführt wird, ist auch im Judentum üblich. Sie wird im Koran nicht unmittelbar und ausdrücklich zur Pflicht erklärt. Dennoch ist sie für Muslime ein wichtiges Ritual und eine unverzichtbare Tradition des Propheten Muhammed. Die Beschneidung der Jungen findet entweder schon in den ersten Tagen des Lebens – bis zum 7. Tag – oder im Alter zwischen 5 und 7 Jahren statt. Aus Anlass der Beschneidung wird ein großes Fest gefeiert. Grundsätzlich gilt: Die Beschneidung kann in allen Altersphasen stattfinden. Man muss auch wissen, dass die Beschneidung eine hygienische Bedeutung hat.

Nicht akzeptabel (auch im Islam) ist die Beschneidung von Mädchen und Frauen. Die Klitorisverstümmelung, die – wenn sie vorgenommen wird – meist im privaten Kreis durchgeführt wird, ist ein körperlicher Eingriff, der nach dem Recht vieler westlicher Länder eine schwere Körperverletzung darstellt, die unter Strafe steht. Die weibliche Genitalverstümmelung hat nachhaltige körperliche und seelische Beschwerden zur Folge. Nach Auffassung von Expertinnen und Experten wird die Mädchenbeschneidung in der islamischen Welt als eine eher geografisch und traditionell bedingte Sitte gesehen ohne Grundlage im Koran und in der Sunna. Dass Muhammed seine Töchter nicht beschneiden ließ, ist ein deutliches Indiz dafür. Die Beschneidung von Mädchen kommt in Ost- und Westafrika und bei Angehörigen der Süd-Sahara-Völker bei Muslimen und Christen vor. In der Türkei ist die Genitalverstümmelung unbekannt.

(Siehe dazu: Ilhan Ilkilic, Begegnung und Umgang mit muslimischen Patienten. Eine Handreichung für die Gesundheitsberufe, Bochum 2005, 5. Auflage)

Gesellschaftliche Bedingungen

Auch wenn in Deutschland etwa 3,4 Millionen Muslime leben, gehören diese zu einer – wenn auch beachtlichen – religiösen Minderheit. Diese so genannte Diaspora-Situation fördert bei vielen Muslimen das Gefühl der Zugehörigkeit zu ihrer Glaubensgemeinschaft und das aktive Mitwirken.

Allerdings ist auch zu sehen (und das gilt für junge Muslime und junge Christen in gleicher Weise), dass Kinder und Jugendliche in einer Gesellschaft groß werden, die lange nicht mehr als „gläubige Gesellschaft" erfahren wird – auch wenn nach wie vor die großen christlichen Kirchen eine prägende und gestaltende Kraft in der Öffentlichkeit besitzen und grundlegende Werte auch heute noch christlich verortet sind. Es lassen sich gesellschaftliche

Jugendliche Muslime leben häufig in verschiedenen Welten.

Veränderungen feststellen: Marktgesetze nehmen verstärkt Einfluss auf das Leben der Menschen und auf das, was wertvoll zu sein hat. Moderne Kommunikationstechniken führen einerseits Menschen zusammen, bewirken aber andererseits Entfremdung und Trennung.

Die Gesellschaft ist uneinheitlicher geworden, zunehmend muss der Einzelne seine Wahl treffen und entscheiden, was richtig und falsch, was gut und böse ist. Individuelle Entscheidungen gelten auch für Glaubensvorstellungen, Bekenntnisse und für die Glaubenspraxis. Pluralität erschwert Orientierung, da sie viele Lebenswege eröffnet. Die Entwicklung eines tragfähigen Lebenskonzeptes und Sinnentwurfes liegt zunehmend in der Entscheidung und Verantwortung des Einzelnen. Dies gilt für alle jungen Menschen in diesem Land: Muslime und Christen, Glaubende und Nichtglaubende.

Ein Kind wird Christ

Wenn die Eltern es wünschen, werden sie ihr Kind taufen lassen. Durch die **Taufe** wird nach gemeinsamer Auffassung der Christen der Täufling in die Gemeinschaft mit Christus und in eine christliche Kirche aufgenommen. Es wird von den großen christlichen Kirchen betont, dass es sich um die *eine* Taufe handelt. Die großen christlichen Kirchen verstehen die Taufe als Sakrament (*siehe S. 124*), sie stimmen in ihrem Taufverständnis über-

Glaubensverkündung geschieht oft durch die Großeltern, wie hier bei einer Kirchenerkundung durch den Großvater.

Taufe eines Kindes in der evangelischen Gemeinde.

ein. Auch andere christliche Kirchen und Gemeinschaften kennen die Taufe. „Durch den einen Geist wurden wir in der Taufe alle in einen einzigen Leib aufgenommen, Juden und Griechen, Sklaven und Freie; und alle wurden wir mit dem einen Geist getauft.“ (*Bibel: 1. Korintherbrief 12,13*). Im Jahr 2006 haben die christlichen Kirchen in der so genannten „Magdeburger Erklärung“ die gegenseitige Anerkennung der Taufe feierlich besiegelt.

In der Regel werden die Kinder wenige Wochen nach ihrer Geburt getauft. Die meisten Freikirchen, wie zum Beispiel die Baptisten, lehnen die Kindertaufe ab. Für sie ist die mündige Entscheidung Voraussetzung zur Taufe.

Heute lassen sich auch in der evangelischen und der katholischen Kirche immer häufiger erwachsene Personen taufen, da sie als Kinder nicht getauft wurden. Sie möchten nun auf Grundlage eigener Entscheidung als Erwachsene einer christlichen Kirche angehören.

Idealtypisch verläuft der Weg eines jungen Christen oder einer jungen Christin etwa so:

Jugendgruppen – wie hier die Pfadfinder – sind oft wichtige Gemeinschaften innerhalb christlicher Pfarrgemeinden.

Pfarrer und Ministranten am Altar einer katholischen Kirche.

Die christliche Gemeinde lädt zu eigenen **Kindergottesdiensten** ein, in denen Kinder mit biblischen Geschichten und dem Gemeindeleben vertraut gemacht werden. Viele Gemeinden – und hier vor allem evangelische Gemeinden – führen Bibeltage für Kinder durch. Im Alter von etwa 8 – 9 Jahren werden katholische Kinder auf das **Fest der Erstkommunion** vorbereitet und dazu eingeladen (communio = Gemeinschaft, gemeint ist die Gemeinschaft mit Jesus Christus, *siehe S. 78*). Die Kommunionfeier ist nach der Taufe der nächste große Schritt in die Gemeinschaft der katholischen Kirche. Der dritte Schritt ist bei jungen katholischen Christinnen und Christen die **Firmung,** das Fest der Geistsendung Gottes. Die Firmlinge öffnen sich für den Geist Gottes und sagen ja zum Glauben und zu ihrer Zugehörigkeit zur Kirche. Daher wird diese Feier auch „Sakrament der Mündigkeit" genannt. – Junge evangelische Christinnen und Christen sind zur

Die Eltern werden mit ihrem Kind **beten** und singen. Ein Grundvertrauen wird entwickelt, das als wichtige Voraussetzung, um glauben zu können, angesehen wird. Denn das Wort „glauben" meint ja vertrauen, Gott vertrauen. Das Kind feiert die **christlichen Feste** mit und lernt das christliche Brauchtum kennen (*siehe S. 85*). Im Alter von 3 oder 4 Jahren kommt es in den Kindergarten, womöglich in einen Kindergarten einer christlichen Gemeinde. Hier erfahren die Kinder etwas vom Glauben der Christen, lernen aber auch ein wenig die Religion ihrer anders glaubenden Spielgefährten kennen. In der Grundschule kommt der kindgemäße Religionsunterricht dazu.

Konfirmation eingeladen. In einer langen Vorbereitungszeit lernen sie ihren Glauben und ihre Gemeinde besser kennen. Mit der vollen Zugehörigkeit zur evangelischen Gemeinde ist auch die Abendmahlsgemeinschaft (*siehe S. 115*) gemeint.

Einige der heranwachsenden jungen Christinnen und Christen übernehmen Aufgaben in der Gemeinde: Sie singen im Jugendchor, gestalten Gottesdienste, werden Ministrant oder Ministrantin (bei den Katholiken), sind in einer Jugendgruppe aktiv, nehmen an Ferienfreizeiten teil, machen in der Offenen Kinder- und Jugendarbeit mit, engagieren sich im „Eine-Welt-Laden", nehmen an Wallfahrten der katholischen Gemeinde und evangelischen Kirchentagen teil, besuchen Kranke, führen Aktionen durch, kommen zu meditativen Gottesdiensten zusammen und ... – oder eben nicht! Viele junge Christen engagieren sich innerhalb ihrer Kirchen, aber die größere Anzahl der Kinder und Jugendlichen hält Abstand. Sie lassen sich – aus unterschiedlichen Gründen (*siehe S. 19ff.*) – nicht einladen und zum Mitmachen motivieren.

Für die Einführung in den Glauben der Christen ist vielen Eltern, Religionslehrerinnen und Religionslehrern, den Seelsorgern der Gemeinden und vielen anderen, die Kinder und Jugendliche begleiten, wichtig, dass junge Menschen selbstständig werden und ihre Eigenständigkeit (auch in Glaubensfragen) zunimmt. Von vielen wird die Freiheit als wesentliche Erfahrung und wichtiger Wert erkannt. Religion soll diese Freiheitsliebe unterstützen. Gott ist kein Gott der Zwänge, sondern ein Gott, der alle Menschen zur Freiheit ruft. Religiöses Lernen kann beim Wachsen und Wurzeln helfen. Mit „Wachsen" ist das sich Entfalten in großer Freiheit gemeint. Aber ein Baum kann nicht in den Himmel wachsen, wenn er nicht von kräftigen Wurzeln getragen wird. Darum ist auch das „Wurzeln" wichtig, bei dem es um die Herkunft, Identität, Standfestigkeit und um die Verbundenheit mit der Quelle geht.

Erziehung muslimischer Kinder

Der Koran und die Sunna fordern muslimische Eltern auf, ihre Kinder in den Glauben an den Einen Gott einzuführen. Sie sollen schon in der Familie die ersten Schritte zum Kennenlernen des Glaubens und der Religionspraxis gehen. Leitbild ist ein weiser Vater, von dem der Koran spricht:

Und als Luqmán zu seinem Sohn sagte, indem er ihn ermahnte: „O mein lieber Sohn, geselle Allah nichts bei. Die Beigesellung (Götzendienst) ist ein gewaltiges Unrecht.“ (*Koran 31,13*)

„... O mein lieber Sohn, verrichte das Gebet, gebiete das Rechte und verbiete das Verwerfliche, ertrage geduldig, was dich trifft. Das gehört zur Entschlossenheit in den Anliegen. Und zeige den Menschen nicht hochnäsig die Wange, und schreite nicht unbekümmert auf Erden umher. Allah liebt niemanden, der eingebildet und prahlerisch ist. Halte das rechte Maß in deinem Gang. Und dämpfe deine Stimme. Die widerlichste unter den Stimmen ist die Stimme der Esel.“ (*Koran 31,17–19*)

Gemäß dem guten Beispiel des Vaters, des weisen Luqmán, sollten Eltern ihre Kinder so erziehen, dass sie gottgläubige und gute Menschen werden. Ein guter Mensch zu sein bedeutet, dass er mit seinen Mitmenschen gut und freundlich umgeht und zulässt, dass auch seine Mitmenschen mit ihm gut umgehen können. Durch die Bildung soll er dazu befähigt werden, in Gottergebenheit friedlich zu leben. Er soll mit dieser Erziehung und Bildung ein Geschenk für die Gemeinschaft sein, Wohlergehen im Sinn haben und friedlich mit seinen Mitmenschen zusammen leben. Schule, Lehrer und Lehrerinnen, der Unterricht zum Erwerb von Wissen sowie gute Erziehung und Bildung genießen in den Augen der Muslime hohes Ansehen. Der traditionelle Ausspruch „Ich bin für 40 Jahre Sklave (Bediensteter) dessen, der mich einen Buchstaben lehrt“ drückt dies aus.

Allerdings bedarf die Erziehung in den Familien der Ergänzung und Unterstützung durch die Moscheegemeinde und durch die öffent-

Im Korankurs lernen die Kinder arabische Schriftzeichen.

Zentrale Texte des Glaubens werden immer wieder gelesen, damit sie später rezitiert werden können.

liche Schule. Der islamische Religionsunterricht in Schulen sollte nach Auffassung vieler in Deutschland längst eingeführt sein. Die so genannten Koranschulen, faktisch Korankurse, der Moscheegemeinden erreichen höchstens 20 % der muslimischen Kinder. Ein Problem ist: Moscheegemeinden sind oft finanziell nicht in der Lage, qualifizierte muslimische Pädagoginnen und Pädagogen, Koranlehrerinnen und -lehrer anzustellen. Die religiöse Bildung muslimischer Kinder kann nicht allein der Aufmerksamkeit der Eltern und ansonsten dem Zufall überlassen werden. Das oben beschriebene Ziel der Erziehung und Bildung kann nur durch pädagogisch und theologisch an islamisch-theologischen Hochschulen ausgebildete muslimische Religionslehrerinnen und -lehrer erzielt werden, die in öffentlichen Schulen tätig sein können. Dies wird seit Jahren von Experten und islamischen Verbänden gefordert. Übrigens: Lehrerinnen und Lehrer haben bei Muslimen ein hohes Ansehen. Muslime wünschen sich, dass „ihre Lehrer und Lehrerinnen" auch tatsächlich erzieherisch tätig werden können, auch mit ihrer Vorbildfunktion.

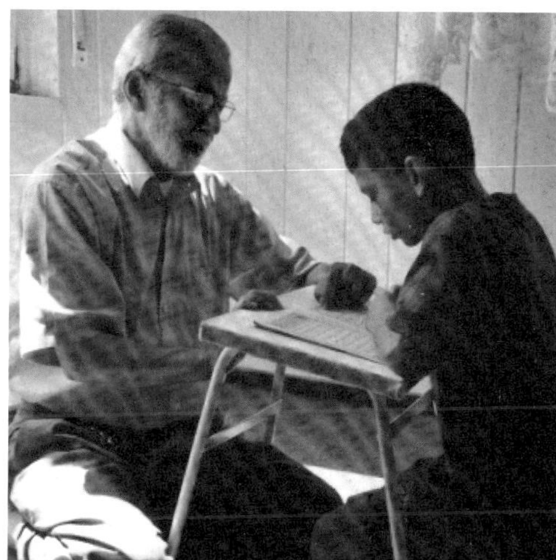

Kirche und Umma

Die christlichen Kirchen: Sie verstehen sich nicht als Vereine oder als christliche Organisationen zur Ermöglichung, Pflege und Sicherung religiösen Lebens im christlichen Sinne. Die Zugehörigkeit zur Kirche ist ein Wesensmerkmal des Christen und daher nicht in das Belieben des Einzelnen gestellt. Die Kirche führt ihren Ursprung auf Jesus Christus zurück, in ihr wirkt nach christlicher Auffassung Christus zum Heil der Menschen weiter. Die Zugehörigkeit zur Kirche erlangt ein Mensch durch die Taufe und nicht durch die Geburt, wie dies für Muslime gilt.
Ein großes Problem und eine ständige Herausforderung für die Kirchen ist die fehlende Einheit untereinander. Im ökumenischen Dialog bemühen sich die Kirchen zwar um Einheit, Verständigung und ein gutes Miteinander, vieles bleibt aber noch zu klären: So bestehen beispielsweise zwischen der katholischen Kirche und der evangelischen Kirche Unterschiede im Kirchen- und Amtsverständnis.

Muslime benötigen keine „Kirchen“-Mitgliedschaft, um ihren Glauben leben zu können: Im Islam ist der Gedanke der Kirchlichkeit und das Priestertum völlig fremd. Der Islam in Deutschland kennt Vereinigungen und Organisationen zur Sicherung und Pflege des sozialen und religiösen Lebens. Kein Muslim ist verpflichtet, in einem islamischen Verein oder einer islamischen Gemeinschaft Mitglied zu sein. Im Islam bedarf es keiner „heilsvermittelnden Instanz“, der Einzelne steht vor Gott. Trotzdem ist die Erfahrung der Gemeinschaft etwa beim Freitagsgebet oder bei Festen wichtig, da sie den Glauben stärkt und trägt (*siehe S. 74, 77*). Dies unterstreicht auch das fünfmalige tägliche Gebet im Schulterschluss der Gemeinde.

„Diejenigen, welche glauben und gottesfürchtig sind, ihnen gehört die frohe Botschaft im irdischen Leben und im Jenseits.“ (*Koran 10,63–64*)

Umma – weltweite Gemeinschaft aller Muslime: Dabei handelt es sich heute nicht um eine einheitliche und zentral geführte Organisation. Einheit bestand lediglich in den Anfängen des Islam, also zur Zeit des Propheten Muhammed. Bereits zu der Zeit, als es um die

Ziel der Wallfahrt ist Mekka; im Zentrum der großen Moschee befindet sich die Kaaba.

Nachfolge des Propheten und um die politische Leitung der Umma ging, zerstritt sich die Gemeinschaft und spaltete sich. Verschiedene Richtungen, wie beispielsweise die der Schiiten und Sunniten, hoben die Einheit auf. Unterschiedliche Gruppen, politische Parteiungen und Staaten bekämpfen sich bis heute teilweise heftig und führten sogar Kriege gegeneinander. Machtkämpfe haben immer wieder die Einheit gefährdet. Gerade diese Erfahrung der Trennung und Zersplitterung stärkt bei vielen Muslimen den Wunsch nach einer Umma, die als einheitliche große Gemeinschaft des Islam erfahren wird und handelt.

Sehr eindrücklich wird die weltweite Gemeinschaft von Muslimen bei der großen Pilgerfahrt nach Mekka erfahren. Aus allen Ländern der Welt kommen Gläubige, jährlich viele Millionen Pilger, in Mekka zusammen.

Der Islam in Deutschland wird immer präsenter, auch durch die Vielzahl der Moscheen, die in Städten gebaut wurden und derzeit entstehen.

Auch wenn es nach islamischer Auffassung genügt, dass ein Muslim als Einzelner vor Gott tritt und somit die Gemeinschaft nicht „heilsnotwendig" ist, hilft die Gemeinschaft, den Glauben zu erfahren und zu praktizieren. Vieles geht gemeinsam besser, das gilt beispielsweise für das Gebet und die Erfüllung der religiösen Pflichten. Auch für Muslime gilt, dass durch die Gemeinschaft der Glaube an die nächste Generation weitergegeben wird. Daher ist eine uneinige und gespaltene Gemeinschaft für Muslime eine große Herausforderung. Es gilt die Aufforderung, die noch nicht erfüllt ist: „Und seid nicht wie diejenigen, die sich gespalten haben und uneins geworden sind ..." (*Koran 3,105*) Nach dem Koran ist der Islam die beste Gemeinschaft: „Ihr seid die beste Gemeinschaft, die je unter den Menschen hervorgebracht worden ist." (*Koran 3,110*) Dieser hohe Anspruch fordert gleichsam die Versöhnung untereinander und damit die vollständige Herstellung der Umma.

Gemeinschaft der christlichen Kirchen und die Weltkirche: Die katholische Kirche ist Weltkirche, sie gliedert sich in Teil- und Ortskirchen (Diözesen). Die größte katholische Kirche ist die „Römisch-Katholische Kirche". Der Papst steht der Weltkirche vor, der Ortsbischof einer Diözese. Jede Diözese ist in Pfarreien oder Seelsorgebereiche gegliedert, denen ein geweihter Priester als Pfarrer vorsteht.
Die evangelische Kirche kennt diesen weltweiten, hierarchischen Aufbau nicht. So hat die Evangelische Kirche in Deutschland (EKD) eigene, selbstständige Landeskirchen. Weltweit wird das Ideal der „versöhnten Verschiedenheit" im Protestantismus favorisiert, wie diese im Lutherischen Weltbund existiert. Die Mitgliedskirchen bleiben jedoch selbstständig. Darum kann es auch keinen „evangelischen Papst" geben.

Pfarrer und Pfarrerin: Im Verständnis des Amtes unterscheiden sich die christlichen Kirchen. Im Unterschied zur katholischen und orthodoxen Kirche können auch Frauen in der evangelischen Kirche ordiniert werden und das Amt einer Pfarrerin bekleiden. Mit Ordination ist die Berufung, Segnung und Sendung zum Dienst in der Kirche gemeint. Zum Dienst des ordinierten Pfarrers und der ordinierten Pfarrerin gehört die Verkündigung des Wortes Gottes, der Bibel, und die Spendung der Sakramente (*siehe* S. 124).

Evangelischer Gottesdienst: Jugendliche sind oft (wie hier im Spiel) aktiv an der Gestaltung beteiligt.

Neben dem Amt in der Gemeinde „vor Ort" gibt es in der evangelischen Kirche weitere Aufgabenbereiche, in denen Ordinierte tätig sind. Zur Kirchenleitung ordiniert sind die Bischöfe. Für dieses Amt gibt es allerdings auch andere Bezeichnungen (z. B. Präses). In der Funktion bleibt der Bischof oder die Bischöfin in der evangelischen Kirche Pfarrer bzw. Pfarrerin. Bischöfinnen und Bischöfe sind in ihrer Funktion „die ersten unter den Pastorinnen/Pastoren".

Anders in der katholischen Kirche: Da der Aufbau der katholischen Kirche hierarchisch ist, beruhen die geistlichen Ämter auf Berufung und Weihe und nicht auf einer demokratischen Wahl. Die Weihe wird als Sakrament (*siehe* S. 124) verstanden. Geweihte Amtsträger handeln im Auftrag Jesu und repräsentieren Christus in ihrer Zeit. Nach der Lehre der katholischen Kirche sind die Apostel die von Jesus zur Leitung Berufenen. Das Amt der Apostel setzt sich nach Auffassung der katholischen Kirche fort im Amt des Papstes (der auch Bischof von Rom ist), im Amt der Bischöfe als den Vorstehern der Ortskirchen (Diözesen) und in den von den Bischöfen durch Handauflegung geweihten Priestern als Leiter der Gemeinden.

Der Imam: Er ist der Vorbeter in der muslimischen Gemeinde, hat Islam- oder Theologiewissenschaften an einer theologischen Hochschule oder Fakultät einer Universität studiert. Er besitzt das notwendige religiöse Wissen, um vorzubeten und zu predigen. Ansonsten ist der Imam ein Mensch wie jeder andere und muss keine besonderen Vorzüge haben. Er ist kein Geistlicher oder Priester. Als religiöser Vorsteher leitet er vor der Gemeinde in der Gebetsnische der Moschee das obligatorische Gemeinschaftsgebet im Schulterschluss. Am Ende des Gebets segnet er die Gemeinde nicht, denn nach Auffassung des Islam spendet nur Gott den Segen, nur Er segnet sowohl die Menschen wie auch alle anderen Lebewesen. Grundsätzlich gibt es im Islam weder eine Vermittlung noch einen Vermittler zwischen Gott und Menschen, da „Gott seinem Diener, d. h. dem Menschen, näher als seine Halsschlagader ist und ihn hört, wenn er ihn anruft und ihm verzeiht, wenn er ihn um Verzeihung bittet" (*Koran*). In der Moschee gibt es dementsprechend auch keinen Beichtstuhl und keine Beichte wie in der katholischen Kirche. Eine reumütige Hinwendung zu Gott geschieht ohne Vermittlung eines geweihten Amtsträgers. Auch andere Sakramente kennt der Islam nicht.

Ein Imam vor der Gebetsnische einer Moschee.

Die türkischstämmigen Muslime in Deutschland nennen den Imam auch **Hoca** (zu lesen: Hodscha), der sowohl als Vorbeter wie auch als Lehrer der Gemeinde fungiert und angesehen wird. Er ist Seelsorger und besucht muslimische Familien, Kranke zu Hause oder im Krankenhaus und muslimische Insassen von Vollzugsanstalten. Er wird als Berater und Schlichter bei Familienstreitigkeiten und Uneinigkeiten in der Gemeinde zu Rate gezogen. Der Hodscha ist bei religiösen Festen und Zeremonien wie dem Beschneidungsfest oder einer religiösen Trauung bzw. Hochzeit ein hoch angesehener Gast und übernimmt dabei die religiöse Betreuung mit den damit verbundenen Aufgaben. Durch Wissensvermittlung und praktische Informationen bereitet er die Frauen und Männer auf die Pilgerfahrt nach Mekka vor. Auch ist er für sterbende Muslime der Vorbereiter und Begleiter beim Übergang zum ewigen Leben. Er verrichtet die Totenwaschung, das Totengebet und die Beerdigung. Durch seine religiösen Vorträge auf dem Lehrstuhl der Moschee (Kursi) und durch die Predigten auf der Kanzel (Minber) informiert und unterrichtet er die Gläubigen seiner Gemeinde in religiösen Fragen und Themen. Genauso beantwortet er religiöse Fragen der Muslime. Kinder lehrt er in der Moschee durch islamische Unterweisung. Bei anderen Gelegenheiten, wie in Ferien und an schulfreien Wochenenden, führt er Korankurse durch.

Für die Vereinsarbeit ist der von Gemeindemitgliedern demokratisch gewählte Vorstand verantwortlich und zuständig, doch nicht der ernannte Imam. Er wird sich auf seine religiösen Zuständigkeiten und Aufgaben beschränken. Ausnahme: Von Seiten des Vorstandsvorsitzenden ist er ausdrücklich um Hilfe und Rat gebeten worden.

Bischof und Imam begegnen sich

Martin Happe ist katholischer Bischof von Nouakchott (Mauretanien). Er lebt unter Muslimen. Bischof Happe berichtet immer wieder von guten Erfahrungen, die er im Zusammenleben von Muslimen und Christen macht: „In Nouakchott wohne ich in einem ruhigen Wohngebiet in einem Haus, das etwa 20 Jahre von einer französischen Familie mit drei Kindern bewohnt wurde. Da dieses Haus etwa einen Kilometer von der Pfarreikirche entfernt liegt und sich von den Nachbarhäusern äußerlich nicht unterscheidet, bekomme ich auch bisweilen Besuch von Leuten, die sich nicht an die katholische Gemeinde wenden würden.

So wurde mir eines Tages der Besuch des Imams der Moschee unseres Stadtviertels gemeldet: Ich gehe meinem Besucher gleich zur Tür entgegen und vor mir steht ein relativ junger Mann, ganz in weiß gekleidet, mit seinem mächtigen schwarzen Bart, der unter dem Turban herausschaut. Aber was mir sofort auffällt, sind die Augen, die eine große Gutmütigkeit und Freundlichkeit ausstrahlen. Sobald wir in meinem Büro sitzen, erzählt mir der Imam in einem sehr einfachen, aber praktisch fehlerfreien Französisch, er habe die Gewohnheit, regelmäßig alle Häuser seines Stadtviertels zu besuchen. Bisher habe er aber die von Europäern bewohnten Häuser ausgelassen. Die Europäer sprächen in der Regel kein Arabisch und er habe kein Französisch gekonnt. Er hätte auch nicht recht gewusst, was er den Europäern hätte erzählen sollen. Dann aber seien an einem Sonntagabend zwei Priester in der Kirche von Nouakchott von einem muslimischen Fanatiker lebensgefährlich verletzt worden. Da habe er sich entschlossen, Französisch zu lernen, um den Christen in seinem Viertel sagen zu können, dass diese Tat mit dem wahren Islam nichts zu tun habe.

Mir hat es erst einmal die Sprache verschlagen. Bei seinem zweiten Besuch habe ich ihn zu seiner Moschee begleitet. Da konnte ich dann feststellen, dass der Mann nicht nur Hausbesuche macht, sondern auch einer Koranschule für Kinder des Viertels vorsteht. Die dürften wohl in ihrem späteren Leben nicht zu Fundamentalisten und Fanatikern werden."

IV. Glauben

Glauben in Europa war am Ende der 1960er-Jahre totgesagt. Der Glaube würde einfach aussterben, war die vorherrschende Meinung. Religion wurde als ein Produkt angesehen, dessen Verfallsdatum abgelaufen war. Viele setzten ihre Hoffnung auf Wissenschaft und Technik, welche als Einzige in der Lage seien, Menschen ein sorgenfreies Leben zu ermöglichen und alle Rätsel des Daseins zu lösen. Und wer darüber hinaus „spirituelle Bedürfnisse" verspürte, für den gab es in der Volkshochschule Yoga und Reiki sowie in genügender Auswahl spirituelle Wellness-Programme. Gott war abgeschrieben.

Zu Beginn des 21. Jahrhunderts allerdings wurde offensichtlich, dass die Prognose einer religionsfreien Zukunft falsch war, dass der Glaube an Gott nicht abgestorben und Religion auch in modernen westlichen Ländern nicht verschwunden ist. Im Gegenteil: Einige sprechen bereits von einer „Wiederkehr der Religion" oder einer „Rückkehr der Götter". Religion, der bisher wenig Aufmerksamkeit in der Öffentlichkeit zuteil wurde, ist wieder zu einem Thema geworden, wie u. a. die Diskussion um die Religion vieler Migrantinnen und Migranten, den Islam, zeigt. Muslime zeigen in der Öffentlichkeit Präsenz, errichten würdige Gebetsstätten oder möchten dies gern. Muslimische Frauen tragen ihr Kopftuch auch als Ausdruck ihres Glaubens. Muslime fordern islamischen Religionsunterricht in der Schule.

Aber auch die christliche Religion, die durch ihre Kirchen, den Religionsunterricht in Schulen und ihre Symbole in der Öffentlichkeit durchaus präsent war und ist, wird wieder neu sichtbar und erhält eine neue öffentliche Aufmerksamkeit. Zum Weltjugendtag kamen 2005 insgesamt etwa 2 Millionen Jugendliche in Köln zusammen, um ihren Glauben zu bezeugen und zu feiern. Viele Zeitgenossen rieben sich die Augen und fragten: Wie geht das – jung und religiös, modern und gottgläubig? Mit der Religion ist auch Gott und das Sprechen über ihn wieder öffentlich geworden, aber auch der Streit über Religion, Glauben und Gott.

Was ist Glauben?

Ein kurzer Dialog:
„Um wie viel Uhr fährt der nächste Zug nach Frankfurt?"
„Ich glaube, um 17.12 Uhr."
„Glaubst du das oder weißt du das?"
„Ich glaube es, bin mir aber nicht hundertprozentig sicher."
„Glauben heißt nicht wissen. Das reicht mir nicht. Ich muss bei der Auskunft anrufen, um sicher zu sein."

„Glauben heißt nicht wissen" – so sagen manche auch mit Blick auf den religiösen Glauben und setzen einen Gegensatz zwischen Glauben und Wissen. Aber was bedeutet es, wenn ein Mensch sagt: „Ich glaube an Gott."? Vom ursprünglichen Wortsinn her bedeutet glauben „sich verlassen auf". Im Hebräischen „aman", von dem das Wort „Amen!" sich ableitet, ist diese Bedeutung klar erkennbar: „sich festmachen". Im Arabischen bedeutet „Iman" der Glaube, abgeleitet vom Verb „amina" („sicher sein"). Mit der Präposition „bi" heißt es: „amantu billahi" („ich glaube an Gott").
Gott ist keine mathematische Formel, die wie der Satz des Pythagoras bewiesen werden könnte. Es gibt auch keine Auskunftsstelle, die eine mathematisch exakte Antwort geben könnte auf die Fragen: Gibt es Gott? Wie sieht Gott aus? Wie handelt oder wirkt Gott?

Bedeutende Lebensfragen verlangen nach einer Antwort auf einer anderen Ebene. Den Satz „Ich liebe dich" sprechen täglich Tausende von Verliebten aus. Der Beweis für ihre Liebe wird im Leben, im Umgang miteinander, erbracht. Auf einer ähnlichen Ebene liegt die Aussage: „Ich glaube an Gott." Der Erweis für den Glauben wird im Leben erbracht. Der Glaube geschieht wie die Liebe nicht grundlos.
Für gläubige Menschen besteht kein Gegensatz zwischen Wissen und Glauben, zwischen Wissenschaft und Gott. Für Gottglaubende findet die Welt und ihre Gestalt, die wissenschaftlich entschlüsselt und erforscht werden kann, ihren Ursprung in Gott. Auch der Verstand wurde dem Menschen von Gott gegeben und der Mensch ist gefordert, seinen Verstand zu benutzen.

Wie können Menschen von Gott sprechen?

„Gott ist eine Erfindung der Menschen, nicht mehr. Die Menschen haben sich stets ihre eigenen Götter erschaffen, nicht umgekehrt." So äußert sich eine 17-Jährige auf die Frage, warum sie nicht an Gott glaubt. Mit dieser Aussage ist der Kernpunkt des Gottglaubens berührt. In der Beantwortung der Frage nach der Existenz Gottes unterscheiden sich gläubige Juden, Christen und Muslime von Nichtglaubenden: „Ist Gott eine Erfindung des Menschen oder der Mensch eine Erfindung Gottes?" Oder in religiöser Sprache: „Hat Gott den Menschen erschaffen oder der Mensch Gott?"
Juden, Christen und Muslime stimmen in der Aussage überein, dass Gott Himmel und Erde erschaffen hat. Doch die Vorstellungen von Gott und die Namen, unter denen sie Gott anrufen und verehren, sind unterschiedlich.

Juden verehren Gott als den, der das Volk Israel aus dem Sklavenhaus Ägyptens befreit hat, der Israel am Sinai die Tora übergeben und mit seinem Volk einen Bund geschlossen hat. Juden bezeugen: Gott ist treu, er steht zu seinem Wort und seinem Volk.

Christen beginnen ihre Gottesdienste und Gebete oft mit der Formel: „Im Namen des Vaters, des Sohnes und des Heiligen Geistes". Dieser Glaube an Gott den Dreieinen unterscheidet sie von Juden und Muslimen. Mit dem Judentum teilen sie den Glauben an Gott, den Schöpfer und Befreier. Sie unterscheiden sich aber von den Juden (und Muslimen) durch ihren Glauben, dass Jesus von Nazaret der Sohn Gottes ist und Gott in Jesus Mensch geworden ist. Gott wirkt nach dem Glauben der Christen in der Kraft des Heiligen Geistes, der auch heute Menschen begeistert und antreibt, aus dem Glauben heraus Leben positiv zu gestalten.

Für Muslime ist der Glaube an den Einen und einzigen Gott, den Schöpfer des Himmels und der Erde, zentral. „Muslim" hat die gleiche Wortwurzel wie „Islam" und bezeichnet einen gottergebenen Menschen, der sich Ihm hingibt. Nach dem Glauben der Muslime hat Gott den Menschen sein Wort durch den Propheten geoffenbart und im Koran sein Wort dem Gesandten Muhammed letztgültig mitgeteilt. Muslime lernen Gott im Wort Gottes kennen und beginnen jede Handlung mit der Formel: „Im Namen Gottes, des Allerbarmenden, des Barmherzigen". Damit ist die Beziehung des Menschen zu seinem Schöpfer durch und von Seiner Barmherzigkeit und Gnade gekennzeichnet. Fünfmal am Tag ruft der Muezzin im muslimischen Gebetsruf den Gläubigen in Erinnerung: Laa ilaaha illallaah („Es gibt keinen Gott außer Gott!").

Der Glaube der Muslime

„Sprich: Er ist der Eine Gott,
Der ewige Gott;
Er zeugt nicht und wird nicht gezeugt,
Und keiner ist ihm gleich." (*Koran 112*)

„Bezeugt hat Allah, dass es keinen Gott gibt außer Ihm, ebenso die Engel und diejenigen, die das Wissen besitzen. Er steht für die Gerechtigkeit ein. Es gibt keinen Gott außer Ihm, dem Mächtigen, dem Weisen." (*Koran 3,18*)

In Deutschland leben selbstverständlich auch zunehmend Menschen, die **anderen religiösen Überzeugungen** verbunden sind: Buddhisten, die – zumindest im ursprünglichen Buddhismus – ohne Glauben an Gott auskommen; Anhänger und Mitglieder neuer religiöser Bewegungen, die – vielfach von östlichem Gedankengut beeinflusst – Gott nicht in der Tradition der monotheistischen Religionen verstehen, sondern als göttliche Energie. Sie sprechen folglich oft nicht von Gott, sondern vom Göttlichen; Hindus, die zum Teil an einen Gott glauben (monotheistisch), zum anderen Teil aber auch an viele Gottheiten glauben (polytheistisch) und diese verehren. Dazu kommen Menschen, die sich keiner Religionsgemeinschaft zurechnen und gemeinhin als „Nichtglaubende" bezeichnet werden.

Woran glaubt, wer nicht glaubt?

Die Zahl der Menschen, die in Deutschland keiner Religionsgemeinschaft angehören, ist mit 27 Millionen etwa gleich groß wie die Zahl der Katholiken oder Protestanten. Das heißt aber längst nicht, dass die Menschen, die keiner Religionsgemeinschaft angehören, auch gleichzeitig nicht glaubend oder nicht religiös sind. Glauben und Religiosität sind nicht an eine Kirche oder Religionsgemeinschaft gebunden. Im Gespräch mit diesen Menschen zeigt sich oft eine tiefe Gläubigkeit.

Dieser Junge lernt mit Unterstützung eines kundigen Erwachsenen das Heilige Buch kennen.

Bei näherem Hinsehen erweist sich auch die Gruppe derer, die jeglichen religiösen Glauben ablehnen, als äußerst bunt und vielfältig: Eine kleine Minderheit tritt als „kämpferische Atheisten“ auf, die gegen Gottglauben und religiöse Institutionen angehen. Eine große Zahl der Nichtglaubenden sind Agnostiker, also Menschen mit der Überzeugung, dass über Gott nichts gewusst und gesagt werden kann. Einer großen Zahl von Menschen, die „von Hause aus“ Juden, Christen und Muslime waren, ist der Glaube im Laufe ihres Lebens abhanden gekommen. Sie haben ihn abgelegt wie Kinderschuhe, die zu klein geworden sind. Alle diese Menschen versuchen, ihr Leben positiv zu gestalten, sie engagieren sich in der Familie, im Freundes- und Bekanntenkreis und in der Gesellschaft. Oft sind die Lebensgrundsätze und Normen dieser Menschen die gleichen wie die der Glaubenden. Allerdings unterscheiden sich beide Gruppen in der Begründung ihrer Lebensgrundsätze und Normen. Während die eine Gruppe die Normen ausschließlich innerweltlich (immanent) begründet, sehen Juden, Christen und Muslime die Richtlinien des Handelns übernatürlich (transzendent) begründet (*siehe S. 100ff.*).

Der Glaube der Muslime: Die fünf Säulen des Islam

Der Glaube der Muslime beruht auf sechs Glaubensartikeln. Diese „Eckpfeiler des Glaubens“ sind:

1. Der Glaube an Allah, den Einen Gott
2. Der Glaube an Seine Engel
3. Der Glaube an Seine Bücher
4. Der Glaube an Seinen Gesandten
5. Der Glaube an das Jüngste Gericht und das Leben nach dem Tod
6. Der Glaube an das Vermögen der Vorherbestimmung Gottes

Stützen des Glaubens der Muslime sind die fünf Säulen des Islam. Diese sind ihnen aufgegeben: Bekennen des Glaubens, das tägliche fünfmalige Gebet, das Fasten im Monat Ramadan, das Geben eines Pflichtalmosens bzw. einer Pflichtabgabe und einmal im Leben die Pilgerfahrt nach Mekka.

Das **Glaubensbekenntnis** (arab. shahada) ist die erste Säule der Glaubenslehre der Muslime. Sie nennen das Wort ihres Glaubensbekenntnisses „kalima shahada“, das Wort der Bezeugung. Es ist die Grundlage für alle anderen religiösen Pflichten. Wer vor Zeugen sagt „Ich bezeuge, dass keine Gottheit ist außer Gott und Muhammad sein Diener und Gesandter ist“, bekennt sich zum Islam und wird zugleich zum Muslim. Damit ist man automatisch natürliches Mitglied der muslimischen Gemeinde. Das ist die sichtbare Form der Gläubigkeit. Durch das öffentliche Glaubensbekenntnis legen Muslime Zeugnis davon ab, dass die Grundlage eines muslimischen Lebens der Glaube an Gott, an seinen Gesandten Muhammed und die Befolgung seiner Tradition (der Sunna) darstellt.

Der Glaube bekommt seine spirituelle Gestalt in der Seele. Die Religionspraxis ist der sichtbare Körper, sie erlangt nur durch die Aufrichtigkeit des Herzens einen Wert.
Das Bekenntnis zum Islam schließt die sechs Glaubensartikel ein.

Allah

ist das arabische Wort für Gott. Es wird in arabischsprachigen Ländern von Muslimen wie auch von Christen verwandt. Das Wort „Allah“ setzt sich zusammen aus dem Artikel „al“ und „ilah“, das „Gott“ bedeutet.

Das **Gebet** (arabisch salat, zu lesen: ssalaah) ist die zweite Säule. Nach dem Glaubensbekenntnis ist das rituelle Gebet die höchste Glaubenspflicht/die wichtigste Säule eines Muslims. Das Gebet wird morgens, mittags, nachmittags, abends und nachts an jedem geeigneten Ort verrichtet. Voraussetzung ist lediglich die Reinigung des Betenden wie auch ein gereinigter Ort. Eine besondere Stellung nimmt das Freitagsgebet in der Moschee ein. Für männliche Muslime ist die Teilnahme Pflicht. Auch Frauen können daran teilnehmen. Das Gebet verbindet die Rezitation ausgesuchter Suren, von Bittgebeten und Lobpreisungen in arabischer Sprache mit rituellen Gebärden. Der Betende will die Gegenwart Gottes in seinem Herzen spüren. Dadurch soll er zu einem Menschen werden, der mit Gott, mit sich selbst und seiner Umwelt in Frieden lebt (Islam). Ein freiwilliges Gebet, zum Beispiel ein Bitt- oder Dankgebet in der Muttersprache, ist jederzeit möglich und nicht an bestimmte Regeln gebunden.

Vers aus dem Koran: Im Namen des Allerbarmers, des Barmherzigen ...

Das **Fasten** ist die dritte Säule. Es handelt sich dabei um das rituelle Fasten (arabisch saum, zu lesen: ssaum). Im neunten Monat des islamischen Mondkalenders, dem Ramadan, ist Muslimen von der Morgendämmerung bis zum Sonnenuntergang jede Form der Nahrungsaufnahme untersagt. Essen, Trinken, Geschlechtsverkehr, Rauchen oder Naschen ist für diese Zeit unzulässig. Das rituelle Fasten ist eine gottesdienstliche Handlung, die den Menschen Gott näherbringt. Der Körper wird dem Geist unterworfen – Selbsterziehung als eine Geste der Dankbarkeit. Fastende sollen lernen, mit jenen mitzufühlen, die hungrig oder durstig sind. Dieses Fest der Reinigung dient der persönlichen Einkehr und erinnert an Bescheidenheit und Dankbarkeit. Während des Ramadan beten die Gläubigen besonders intensiv. Nach den Abendgebeten beim Sonnenuntergang speisen sie gemeinsam und gedenken des Beginns der Offenbarung des Korans. Der Fastenmonat wird abgeschlossen mit der „Nacht der Bestimmung" am 27. Tag des Fastens und mit dem Fest des Fastenbrechens (id al-fitr). Ein Monat der Buße, der Aufmerksamkeit, des Vertrauens und des Friedens geht mit dem großen Fastenbrechen zu Ende.

Der Prophet Muhammed sagt: Fasten ist nicht der Verzicht auf Essen und Trinken, sondern der Verzicht auf das Geschwätz und die Beschimpfung anderer Menschen. Wenn also jemand dich beschimpft oder dir Übles tut, so sprich [zweimal]: Wahrlich ich bin am Fasten, wahrlich ich bin am Fasten ... Das Fasten ist ein Schutz; so soll er [während des Fastens] weder Schändlichkeit noch Torheit begehen; und wenn jemand ihn zum Zweikampf auffordert oder beschimpft, soll er ihm zweimal sagen: Ich faste. Ich schwöre bei Dem, in Dessen Hand mein Leben ist, dass der Geruch aus dem Mund eines Fastenden bei Gott besser ist als Moschus. Gott sagte: „Er [der Fastende] stellt Meinetwegen sein Essen und Trinken sowie seine Begierde ein. Das Fasten ist Mir gewidmet, und Ich belohne entsprechend; und jede gute Tat wird gleichermaßen zehnfach belohnt." (*Quelle: Bukhari*)

Die **Pflichtabgabe für Arme und Bedürftige** (arabisch zakat, zu lesen: sakaat) ist die vierte Säule. Zakat wird mit „gereinigt sein" übersetzt. Muslime sind verpflichtet, durch eine jährliche Abgabe Arme und Bedürftige zu unterstützen, deren Höhe ca. 2,5 % der jährlichen Einkünfte betragen sollte. Die Pflichtabgabe ist keine Staatssteuer. Muslime helfen anderen Menschen – privat oder über Hilfsorganisationen.

Die **Wallfahrt nach Mekka** (arabisch: hadsch) ist die fünfte Säule. Wenn der Koran für gläubige Muslime die Mutter aller Bücher ist, so ist Mekka die Mutter aller Städte. Die Pilgerfahrt in diese Stadt auf der arabischen Halbinsel stellt den Höhepunkt im Leben eines Muslims dar. Zwei Arten wurden unterschieden: die „kleine" Pilgerfahrt, umra, und die „große", hadsch. Die kleine Wallfahrt ist an keine zeitliche Vorgabe gebunden. Sie dient der spirituellen Einkehr und der religiösen Hochachtung.
Die große Pilgerfahrt findet im letzten Monat (dhu'l-hidschdscha) des islamischen Mondkalenders statt. Während der Wallfahrt wird erdumspannend das Opferfest (id al-adha) gefeiert. Bei diesem Fest werden Opfertiere dargebracht im Gedenken an den Urvater Abraham, der auf Geheiß Gottes bereit war seinen Sohn Ismael zu opfern (*siehe* S. 116).

Waris Dirie: Meine Mutter glaubt mit jeder Faser ihres Herzens an Allah. Sie kann ohne Allah weder atmen noch irgendetwas tun. Sie kann kein Korn mahlen noch die Ziegen melken, ohne ihrem Gott dafür zu danken. So wurde auch ich erzogen, und dafür liebe ich sie. Durch das Leben in der westlichen Welt habe ich das Gefühl dafür verloren, bei jedem Schritt mit meinem Gott in Verbindung zu stehen. Mehr und mehr befürchte ich nun, alles zu verlieren, wenn ich nicht in die Heimat meiner Seele, in die Wüste, zurückkehrte.
(*Aus: Nomadentochter, München 2002*)

Gibt es auch bei Christen „Säulen des Glaubens“?

Die fünf Säulen sind in der islamischen Tradition und Frömmigkeit stark verwurzelt und können nicht einfach mit Übungen christlicher Frömmigkeit gleichgesetzt werden. Bestimmte religiöse Ausdrucksweisen, einige Rituale und Praktiken der Christen haben Gemeinsamkeiten mit den Handlungen der Muslime oder lassen eine Verwandtschaft erkennen.

Das **Glaubensbekenntnis** der Christen stammt aus dem 2. Jahrhundert und wurde beim Kon-

Das apostolische Glaubensbekenntnis

Ich glaube an Gott, den Vater,
den Allmächtigen,
den Schöpfer des Himmels und der Erde.

Und an Jesus Christus,
seinen eingeborenen Sohn, unsern Herrn,
empfangen durch den Heiligen Geist,
geboren von der Jungfrau Maria,
gelitten unter Pontius Pilatus,
gekreuzigt, gestorben und begraben,
hinabgestiegen in das Reich des Todes,
am dritten Tage auferstanden von den Toten,
aufgefahren in den Himmel;
er sitzt zur Rechten Gottes,
des allmächtigen Vaters;
von dort wird er kommen,
zu richten die Lebenden und die Toten.

Ich glaube an den Heiligen Geist,
die heilige katholische/christliche Kirche*,
Gemeinschaft der Heiligen,
Vergebung der Sünden,
Auferstehung der Toten
und das ewige Leben.
Amen.

---

* „Katholisch“ bedeutet „allgemein“. In den Kirchen der Reformation wird im Glaubensbekenntnis nicht der Ausdruck „katholische Kirche“, sondern „allgemeine Kirche“ oder „allgemeine christliche Kirche“ verwendet, um eine Verwechslung mit der „Römisch-Katholischen Kirche“ zu vermeiden.

zil (kirchliche Versammlung der Bischöfe) von Chalkedon (im Jahr 451) verbindlich verkündet.

Gott, Schöpfer des Himmels und der Erde: Der christliche Glaube wurzelt im jüdischen Glauben. Grundlegend ist der Glaube an Gott, den Schöpfer, der alles, was ist, ins Dasein gerufen hat. Gott hat den Menschen geschaffen „nach seinem Bild". Damit ist nicht die äußere Gestalt gemeint, sondern die Personalität des Menschen: Jeder Mensch ist eine einzigartige Person, die frei entscheiden kann und eine Mitverantwortung für die Schöpfung trägt.

Jesus Christus, Gottes Sohn: Dieser gemeinsame Glaube aller Christen an Jesus Christus als den Sohn Gottes ist grundlegend für das Christentum. Darin unterscheidet es sich von allen anderen Religionen. In Jesus von Nazaret ist nach christlicher Überzeugung Gott Mensch geworden. Jesus ist der „Christus". Christus ist die Übersetzung des hebräischen Wortes Messias ins Griechische und bedeutet „der Gesalbte". Christen sehen in Jesus den im Alten Testament verheißenen Gesalbten (Messias) Gottes.

Ort des Gebetes: In dieser christlichen Kirche zeigt die mittelalterliche Architektur nach oben, vom Menschen zu Gott.

Der Heilige Geist, der Herr ist und lebendig macht: In der Apostelgeschichte des Neuen Testamentes (*2,1–12*) wird davon berichtet, dass sich nach dem Tod Jesu seine Anhänger verängstigt zurückgezogen hatten. Plötzlich – so heißt es – erfahren sie „ein großes Brausen" und „wie in Feuerzungen" kam der Heilige Geist Gottes auf sie herab. Dies sind Bilder für eine innere Kraft, welche die Versammelten spürten, die ihnen Mut und Selbstvertrauen verlieh. In dieser Kraft erkannten sie das lebendig machende Wirken des Geistes Gottes, des Heiligen Geistes. Dieser Geist Gottes wirkt auch fortan in der Kirche und der Geschichte der Menschen.

Gebet – Wallfahrt – Einsatz für Notleidende

Das **christliche Gebet** hat seinen Ort im Gottesdienst der Kirche ebenso wie in der persönlichen Frömmigkeit des einzelnen Gläubigen. Im Sonntagsgottesdienst, aber auch in Andachten beten Christen in der Gemeinde. In der persönlichen Frömmigkeit – wie im Morgen- und Abendgebet oder in den Gebeten vor und nach den Mahlzeiten – beten sie für sich alleine oder in der Familie. Während die kirchlichen Gottesdienste eine offizielle Ordnung haben, sind die persönlichen Gebete der eigenen freien Gestaltung überlassen (*siehe* S. *74 ff.*).

Die Wochen vor dem Osterfest (40 Tage) sind die **Fastenzeit der Christen**. Hier geht es allerdings nicht so sehr um das Meiden von Speisen, sondern vielmehr um eine neue Ausrichtung auf Gott. Der Verzicht dient der Besinnung auf die Fragen: Was macht mich abhängig und unfrei? Was hindert mich, dass ich mich für Gott öffne? Wo habe ich mich in meinem Leben verrannt und soll ich umkehren? „Kehrt um!" „Denkt um!" „Ändert euer Denken und richtet es auf Gott und die Mitmenschen neu aus!" – Das ist die Aufforderung in der christlichen Fastenzeit.

Die **Pilger- oder Wallfahrt** ist, wenn auch nicht Pflicht, so doch eine wichtige spirituelle Erfahrung für viele Christinnen und Christen – übrigens eine eher katholische Weise der Spiritualität. Allein oder in Gruppen suchen sie einen „heiligen Ort" (oft zu Fuß) auf. Hier feiern die Pilger Gottesdienste. In Deutschland gibt es verschiedene Wallfahrtsorte, an denen besonders Maria, die Mutter Jesu, verehrt wird. Immer mehr Christen greifen heute die Pilgertradition der Menschen des Mittelalters auf und wandern große Strecken. Sie sind oft viele Wochen unterwegs, um dann an einem Ort wie Santiago de Compostela in Spanien – am Grab des Apostels Jakobus – zu beten. Oder sie sind auf ihren Pilgerfahrten zu anderen wichtigen Orten der Christenheit (Rom und Jerusalem) unterwegs. Diese Pilger und Pilgerinnen verstehen sich als „pilgerndes Volk Gottes".

Auch das **Almosen,** zu dem auch soziale Taten zählen, gehört zur Glaubenspraxis im Christentum. Am Ende der Fastenzeit vor Ostern und im Advent, der Vorbereitungszeit vor dem Weihnachtsfest, sammeln die Kirchen Geld unter den Gläubigen, um soziale Projekte zu unterstützen. Es geht hier nach Auffassung vieler Christen um Gerechtigkeit. Gottes Liebe soll durch Christen in Tat und Wort verdeutlicht werden. – Dies ist typisch christlich.

Die Heiligen Schriften

Jeder Mensch kennt Schriftstücke, die für ihn von hohem Wert sind. Dazu zählen Urkunden über erbrachte Leistungen, wichtige Verträge und Zeugnisse. Aber dazu gehören auch sehr persönliche Schreiben wie zum Beispiel Briefe von lieben Menschen. Dies sind für den Einzelnen „heilige" Schriften.

Auch jede Religion stützt sich auf heilige Schriften: das Judentum auf die Tora, das Christentum auf die Bibel mit Altem und Neuem Testament, der Islam auf den Koran. Der Buddhismus achtet und verehrt die Lehrreden Buddhas und der Hinduismus unter anderen Schriften die Bhagavad-Gita. Diese heiligen Schriften sind für die Gesamtheit der Religionsgemeinschaft wie auch für den einzelnen Gläubigen von höchster Bedeutung. Juden, Christen und Muslime sehen in ihrer jeweiligen Heiligen Schrift das Wort Gottes.

Viele im Westen werden die Vorstellung der monotheistischen Religionen von „Heiligen Schriften", die beanspruchen wahr und von Ewigkeitswert zu sein, nicht nachvollziehen können. Denn diese Überzeugung ist gebunden an den Glauben, dass es einen Gott gibt, der sich in der Geschichte selbst mitteilt. Wer dieser Glaubensvorstellung nicht folgt, kann aber trotzdem den Wert bemessen, den die Heiligen Schriften für Gläubige haben. So kann er diesen Schriften mit Respekt begegnen und achtsam mit ihnen umgehen, auch wenn er den Inhalt nicht glauben kann. In einer multireligiösen Gesellschaft wird der Respekt vor dem, was anderen heilig ist, eine wichtige Grundlage des Zusammenlebens sein.

Die christliche Bibel

Die christliche Bibel besteht aus dem Alten Testament, das zum großen Teil der hebräischen Bibel des Judentums entspricht, und dem Neuen Testament. Die Schriften des Neuen Testamentes wurden etwa zwischen 50 und 120 n. Chr. abgefasst.

Die neutestamentlichen Schriften sind:

- Die vier Evangelien: nach Matthäus, nach Markus, nach Lukas und nach Johannes. Die Evangelien sind das Hauptzeugnis für das Leben und die Lehre Jesu. Sie berichten von Jesu Worten und Taten, von seinem Tod und seiner Auferweckung.
- Die Apostelgeschichte, die von der Entstehung der ersten christlichen Gemeinden handelt und von der Missionstätigkeit des Apostels Paulus.
- Die Briefliteratur: Hierzu zählen Briefe des Apostels Paulus an junge Gemeinden (z. B. Rom, Korinth oder Ephesus), Briefe an Gemeindeleiter sowie Briefe an einen größeren Leserkreis.

Viele Christen verstehen ihren Glauben als Weg, als eine Art Pilgerweg.

- Die Apokalypse, auch die Offenbarung des Johannes genannt, enthält eine Vision von den Geschehnissen in der Endzeit der menschlichen Geschichte.

Nach christlichem Verständnis gibt die Bibel Zeugnis vom Wirken Gottes in der Geschichte, das Neue Testament von Jesus Christus, dem „Mensch gewordenen Wort Gottes". Die Heilige Schrift gilt als inspiriert, d. h. vom Heiligen Geist den Verfassern eingegeben. Christen sehen sie als „Gotteswort in Menschenwort". Zeitbedingte Vorstellungen und Begriffe sind in die Heilige Schrift eingeflossen; die Wahrheit des Wortes Gottes trägt die Signatur der Zeit der biblischen Verfasser. Auch wenn die Kirche lange kein Verständnis für eine historisch-kritische Auslegung der Bibel aufgebracht hat, gehört heute ein solches Verständnis zur kirchlichen Lehre. Eine wortwörtliche – fundamentalistische – Auslegung lehnen die großen christlichen Kirchen heute ab, da sie das Verständnis der „Wortinspiration", d. h. der wortwörtlichen Übermittlung der Offenbarung, nicht mehr teilen.

Im Christentum hat sich eine Tradition der Überlieferung und der Auslegung der Heiligen Schrift entwickelt. In den einzelnen christlichen Kirchen hat diese Tradition unterschiedliches Gewicht. Während in den protestantischen Kirchen „allein die Schrift" maßgeblich ist, misst die katholische Kirche der Tradition eine wichtige zusätzliche Bedeutung für das Verständnis der Schrift bei. Nach ihrer Überzeugung gehören Schrift und Tradition zusammen, ohne dass der Tradition eine Heiligkeit wie der Schrift zukommt.

Christliches Glaubenszeugnis aus heutiger Zeit

Mit allen Sorgen, Nöten und Freuden sind Menschen – wie in diesem Gebet ausgedrückt – unterwegs zu Gott.

Aus Dörfern und Städten –
sind wir unterwegs zu Dir.
Aus Tälern und Bergen –
sind wir unterwegs zu Dir.
Mit leidenden Brüdern und Schwestern –
sind wir unterwegs zu Dir.
Mit lachenden Kindern –
sind wir unterwegs zu Dir.
Als Bauleute des Friedens –
sind wir unterwegs zu Dir.
Als Boten der Gerechtigkeit –
sind wir unterwegs zu Dir.
Als Zeugen der Liebe –
sind wir unterwegs zu Dir.
Als Glieder der Kirche –

sind wir unterwegs zu Dir.
Wenn wir das Brot teilen –
sind wir unterwegs zu Dir.
Wenn wir die Schwachen stützen –
sind wir unterwegs zu Dir.
Wenn wir für die Verfolgten beten –
sind wir unterwegs zu Dir.
Wenn wir Gottesdienst feiern –
bist Du bei Deinem Volk.
(*Gebet aus Lateinamerika*)

Der Koran

Der Koran (arabisch: al-Qur'ân, deutsch: der Koran) gilt für die Muslime bei seiner Entstehung wie auch heute als Wort Gottes, er ist die Heilige Schrift der Muslime. Qur'an bedeutet „Rezitation", „Lesung". Der Prophet Muhammed ist (nur) sein Vermittler, nicht sein Verfasser. Der Koran enthält nach dem Glauben der Muslime nicht nur das Wort Gottes, sondern ist das Wort Gottes, die letztgültige Offenbarung, die dem Gesandten Muhammed durch den Erzengel Gabriel übermittelt wurde. Daher ist er auch nur in der ursprünglich geoffenbarten arabischen Sprache authentisch und wird nur auf Arabisch im rituellen Gebet rezitiert. Nach islamischer Tradition hat Muhammed im Jahr 610 im Alter von 40 Jahren seine erste Offenbarung erhalten. Von diesem Zeitraum bis zu seinem Tod 632 hat er etwa 23 Jahre fortwährend Offenbarungen empfangen.

Der Koran ist die erste Quelle des islamischen Lebenswegs (Scharia) und das Kriterium für die Wahrheit und Frömmigkeit. Dabei handelt es sich um ein geoffenbartes Buch Gottes, welches man Wort für Wort, Buchstabe für Buchstabe, sowohl beim Rezitieren wie beim Zuhören mit entsprechendem Respekt und Sensibilität zu behandeln hat. Die Achtung vor dieser letzten und zugleich vollkommenen Offenbarung des Einen und Einzigartigen Gottes drückt sich darin aus, dass Muslime mit dem Koran immer sorgsam und ehrfürchtig umgehen und ihn in ritueller Reinheit berühren bzw. in die Hand nehmen.
Sowohl der Gesandte Gottes Muhammed als auch viele seiner des Lesens und Schreibens kundigen Gefährten rezitierten den Koran in den Anfangsphasen auswendig. Dennoch wurden die Worte Gottes schon zu Lebzeiten des Propheten in Form von Schriftstücken niedergeschrieben. Als der Prophet Muhammed 632 starb, brachte zunächst der erste Kalif der Muslime Abu Bakr (632–634) diese Schriftstü-

cke in einen einheitlichen Zusammenhang, gemäß den Anordnungen des Propheten zu seinen Lebzeiten.

Der Text des Korans wurde unter dem dritten Kalifen Uthman (644–656) als ganzer ediert, in 114 Suren (Abschnitte) eingeteilt. Diese Einteilung erfolgte nicht nach inhaltlichen Kriterien, sondern im Wesentlichen nach der Länge der Suren – bis auf die kurze erste Sure „Die Öffnende". Die längste Sure (Sure 2 mit 286 Versen) steht vorne, die kürzesten (Suren 108, 112, 113, 114) am Ende.
Angegeben ist am Beginn jeder Sure der Ort bzw. Zeitpunkt der Herabsendung. „Geoffenbart in Mekka" bedeutet, die Übermittlung dieser Sure erfolgte zwischen 610 und 622, also vor der Hidschra (Auswanderung des Propheten und der ersten Muslime nach Medina in 622), „geoffenbart in Medina" heißt herabgesandt zwischen 622 und 632.

Der Islam geht vom Verständnis einer direkten Wort-Übermittlung der Offenbarung an den Propheten Muhammed aus. Von diesem Verständnis her verbietet sich eine historisch-kritische Auslegung des Korans im westlichen Sinne. Sie wurde im letzten Jahrhundert von

„Dies sind die Zeichen des deutlichen Buches. Wir haben es als einen arabischen Koran hinabgesandt; auf dass ihr verständig werdet. Wir erzählen dir die schönste Erzählung dadurch, dass Wir diesen Koran offenbart haben. Du warst vordem einer von denen, die [davon] keine Ahnung hatten." (*Koran 12,1–3*)

christlichen Theologen für Bibelstudien entwickelt.
In der Geschichte davor hatten sich jedoch eine Koranexegese und eine Wissenschaft der Interpretation des Korans entwickelt. Sie geht davon aus, dass es für die Herabsendung einzelner Koranverse konkrete Offenbarungsanlässe gegeben hat. Diese zu erkunden und zu bedenken ist wichtig für ein korrektes Verständnis des Korans. Innerhalb des Islam hat sich eine eigene Wissenschaft der Offenbarungsanlässe entwickelt, wodurch Zeit- und Raumkontext bei der Auslegung in Betracht gezogen werden können.
Menschen, die ohne die Wissenschaft der Koraninterpretation einzelne Koranverse eins zu eins in die Gegenwart übertragen, etwa um daraus politisches Kapital zu schlagen, wenden eine Interpretationsart an, die das wahre und aktuell-relevante Verständnis des Wortes

Im Islam ist die Kunst der Kalligrafie entfaltet und gilt als „Königin der Künste".

Gottes verhindert. Dies ermöglicht eine Politisierung des Religionsverständnisses.
Außerdem ist für das Verständnis des Korans auch die Tradition, die Sunna, maßgeblich. Nach dem Koran ist die Sunna die nächst wichtige Erkenntnisquelle in Glaubens- und Lebensfragen. Sunna bedeutet „Handlungsweise, Brauch, Satzung". Damit ist der Lebensweg des Gesandten Muhammed gemeint. Was der Prophet gesagt und getan hat, gilt den Muslimen als vorbildlich und als Erläuterung der Offenbarung. Die Sunna ist niedergelegt in den Hadith-Sammlungen (das arabische Wort hadith bedeutet: Mitteilung, Erzählung, Bericht). Hadithe sind Aussprüche und Mitteilungen von Handlungen des Propheten Muhammed. In der Anerkennung der Ausgaben der Hadith-Sammlungen unterscheiden sich Sunniten und Schiiten. Die Sunniten erkennen sechs Sammlungen, die Schiiten vier Sammlungen als verbindlich an.

Propheten – und der Prophet Muhammed

In der biblischen Überlieferung werden als Propheten die Menschen bezeichnet, die in einer bestimmten historischen Situation auftreten und im Auftrag Gottes verkündigen. Prophetie im religiösen Sinn hat nichts mit Wahrsagerei zu tun. Zu den Propheten Israels zählen u. a. Jesaja, Jeremia, Ezechiel, Amos und Micha.
Im Islam wird Muhammed als „der Prophet Gottes" und als „der Gesandte Gottes" bezeichnet. Seine einzigartige Stellung unter den Propheten sehen die Muslime darin, dass er als das „Siegel der Propheten" bezeichnet wird, dem die letztgültige Offenbarung übermittelt wurde. Im Koran Sure 33,40 heißt es: „Muhammed ist nicht der Vater irgend eines von euren Männer, sondern Allahs Gesandter

und das Siegel der Propheten. Und Allah weiß über alle Dinge Bescheid." Er wird ferner mit dem Beinamen Al-Amin (der Vertrauenswürdige oder Verlässliche) und „Habib Allah" (der Geliebte Gottes) benannt.

Die Muslime achten nicht nur den Propheten Muhammed als den einzigen wahren Propheten. Die Reihe der Propheten beginnt mit Adam; Noah (Nuh), Abraham (Ibrahim), Isaak (Ishaq)/Ismail und Jakob (Ya'qub) zählen ebenso dazu wie Josef (Yusuf), Moses (Musa), Aaron (Harun) und weitere Personen. Auch Jesus, der im Koran Isa genannt wird, ist im Islam als bedeutender Prophet angesehen, der geachtet und verehrt wird. Propheten sind Menschen und dürfen auf keinen Fall Gott gleichgestellt werden. Auch Muhammed war ganz und gar Mensch, wenn auch ein besonderer, von Gott erwählter.

Das Leben des Propheten Muhammed

Der Prophet Muhammed wurde um 570 in der Stadt Mekka geboren. Sein Vater Abdullah starb vor seiner Geburt. Seine Mutter Amina verlor er im Alter von sechs Jahren und wurde Vollwaise.

Im Alter von 25 Jahren heiratete Muhammed die 40-jährige wohlhabende Kaufmannswitwe Chadidscha. Chadidscha war bis zu ihrem Tod die einzige Ehefrau an Muhammeds Seite. Nach Chadidschas Tod heiratete er Aischa, die junge Tochter seines engsten Gefährten Abu Bakr. Diese wurde zu seiner Lieblingsehefrau. Später folgten weitere Eheschließungen.

Im Jahre 610 im Alter von vierzig Jahren empfing Muhammed – so die islamische Lehre – seine erste Offenbarung von Gott durch den Erzengel Gabriel. Er verkündete in seiner Vaterstadt Mekka den Einen Gott und wandte sich entschieden gegen den Glauben an viele Götter (Polytheismus). Als die Anhängerschaft Muhammeds größer wurde, wuchs der Druck der Mekkaner. Sie betrachteten seine Botschaften als eine Bedrohung für ihre Gesellschaftsordnung, ihre wirtschaftlichen Interessen und Macht. Es kam zum Konflikt, der schließlich dazu führte, dass Muhammed und seine Anhänger 622 nach Yathrib, später Medina genannt, auswanderten. Die Reise wurde unter dem Namen „Hidschra" bekannt. Hidschra markiert den Beginn der islamischen Zeitrechnung.

In Medina sah sich Muhammed einer neuen Situation gegenüber. In Mekka wurde er beleidigt, belächelt und verstoßen, während er sich in Medina in der Rolle des Leiters der Gemeinschaft wiederfand. Innerhalb kurzer Zeit gelang es ihm, die arabischen Einwohner Medinas und seine Anhänger, die ihm aus Mekka gefolgt waren, zu vereinen. Er errichtete ein Gebäude, die erste Moschee des Islam, das auch einige Zimmer als sein Wohnhaus umfasste und zugleich das Gotteshaus war. Jede Woche am Freitag fand das gemeinsame Freitagsgebet statt und jeden Tag wurden die fünfmaligen gemeinschaftlichen Gottesdienste und Gebete verrichtet. Der Prophet leitete alle gemeinsamen Gebete als Vorbeter der Gemeinde persönlich an.

Er gründete einen Stadtstaat und die erste muslimische Gemeinschaft. Eine Gemeindeordnung, die erste schriftliche Verfassung, wurde eingeführt und niedergeschrieben.

Von Medina aus trug Muhammed den Islam auf weite Teile der arabischen Halbinsel weiter. Schließlich konnte er 630 nach Mekka einziehen. Dort bereinigte er die Kaaba von Götzenbildern und erklärte sie zum Gotteshaus für Muslime. Beim Einzug in die Stadt Mekka verbot er Anwendung von Gewalt und Blutvergießen.

Am 8. Juni 632 starb Muhammed im Alter von 63 Jahren im Zimmer seiner Frau Aischa. Er wurde im Boden des Sterbezimmers begraben. Diese Stelle befindet sich in der heutigen Moschee von Medina.

Jesus aus christlicher und islamischer Sicht

- Aus christlicher Sicht ist Jesus der Sohn Gottes, der „Christus“ (griech. christos, der Gesalbte). Auf diesem Glauben fußt das Christentum. –
  Aus islamischer Sicht ist Jesus ein Prophet und Gesandter Gottes, aber ganz und gar Mensch.
- Verbunden mit der Gottheit Jesu ist die christliche Überzeugung von Gott als dem Einen in drei Personen: Gott Vater, Gott Sohn und Gott Heiliger Geist. –
  Der Islam lehnt die Vorstellung eines Dreieinen Gottes ab.
- Das Christentum bezeugt den Tod Jesu am Kreuz. –
  Der Koran weist diese Überzeugung zurück und lehrt, dass eine Jesus ähnliche Gestalt gekreuzigt wurde.
- Nach christlichem Glauben hat Jesus sein Leben für das Heil der Menschen hingegeben. –
  Nach islamischer Auffassung ist jeder für sich selbst verantwortlich und keiner kann die Last eines anderen tragen.

V. Beten und feiern

„Bist du gläubig? Und lebst du den Glauben?" – Diese beiden Fragen sollen Auskunft geben über das Glaubensleben der Befragten, über ihre Teilnahme an Gottesdiensten und ihre persönliche Glaubenspraxis. Dabei wird häufig nicht berücksichtigt, dass es weitere religiöse Ausdrucksweisen gibt, die zum Leben eines gläubigen Menschen dazugehören.

Das, was mit „Glaubenspraxis" gemeint ist, was ganz konkret getan und gelebt wird, kann auch als Spiritualität bezeichnet werden: Das Wort Spiritualität kommt von „spiritus" (lateinisch) und bedeutet „Hauch" oder „Geist". In der Spiritualität wird deutlich, „wes Geistes Kind" ein Mensch ist. Spiritualität ist die gläubige Praxis religiöser Menschen, also auch vieler Muslime und Christen. Manches ist bei ihnen ähnlich und zeigt, dass Christen und Muslime (zusammen mit den Juden) gemeinsame Wurzeln haben. Ihre Spiritualität wird im Gebet an den Einen Gott deutlich. Sie versammeln sich in ihrer jeweiligen Glaubensgemeinschaft zum Gebet. Die Formen und die Gestaltung dieser Gebetsversammlungen (Gottesdienste) sind recht verschieden.

Aber zentral ist: Christen und Muslime beten den Einen Gott an, den Muslime und arabisch sprechende Christen als Allah ansprechen. Allah ist arabisch und heißt nichts anderes als Gott. Gläubige beider Religionen verehren den Einen Gott, den Gott Abrahams/Ibrahims, den Einen Gott der Juden, der Christen und der Muslime, auch wenn sich ihr jeweiliges Gottesverständnis unterscheidet.

„Wir glauben an das, was zu uns herabgesandt und zu euch herabgesandt ward. Unser Gott und euer Gott ist Einer. Und wir sind Ihm ergeben."
(Koran 29,46)

„Die Heilsabsicht (Gottes) umfasst aber auch die, welche den Schöpfer anerkennen, unter ihnen besonders die Muslime, die sich zum Festhalten am Glauben Abrahams bekennen und mit uns den einzigen Gott anbeten, den Barmherzigen, der die Menschen am Jüngsten Tag richten wird."
(Katholische Kirche: 2. Vatikanisches Konzil, 1964)

„Judentum, Christentum und Islam gehören nicht nur historisch zusammen, sie sprechen von demselben Gott, Schöpfer, Offenbarer und Richter."
(Aus: Schlussdokument des Ökumenischen Rates der Kirchen 1969)

Zur Spiritualität gehören außer dem Gebet beispielsweise Fasten und Pilgern, aber auch der Einsatz für Frieden und Gerechtigkeit, für Gottes Schöpfung, ihre Sorge um Alte, Behinderte, Bedürftige, Kranke und Hungernde, ferner das Engagement für Verfolgte, Rechtlose, Menschen auf der Flucht und für alle, die sich in Gefahr befinden. Somit ist die Glaubenspraxis auch auf Menschen in Not gerichtet, die Hilfe benötigen und suchen.

Muslime beim Freitagsgebet; der Imam als Leiter des Gebetes.

Das tägliche Gebet

Das tägliche Gebet ist Ausdruck der Gottverbundenheit von Muslimen und Christen. Doch längst nicht alle Muslime oder Christen beten jeden Tag, nur ein Teil der Gläubigen besucht regelmäßig die Gottesdienste in einer Kirche oder die Gebete in einer Moschee. An hohen Festtagen füllen sich jedoch die Kirchen und Moscheen. Für viele Menschen kommt darin ihre religiöse Verbundenheit zum Ausdruck.
In muslimischen Gemeinschaften wird fünfmal am Tag (vor Sonnenaufgang, am Mittag, am Nachmittag, zu Sonnenuntergang und am späten Abend) zum Gebet gerufen. Der Gläubige, der zum Gebet kommt, muss sich zunächst rituell nach bestimmten Vorgaben waschen. Die Sauberkeit des Körpers, der Kleider und des Gebetsplatzes sind unentbehrlich, denn nach Worten des Propheten Muhammed „macht die Sauberkeit die Hälfte der Religion aus". Damit ist sowohl die sichtbare (äußere) Sauberkeit als auch die rituelle (innere) Reinheit gemeint. Daher geht dem Gebet eine ritu-

elle Waschung voraus, mit der sich die Betenden auf die spirituelle Himmelfahrt der Seele zur Gegenwart Gottes, auf das Gebet vorbereiten.
Beim Betreten der Moschee ziehen der Besucher und die Besucherin die Schuhe aus, wie das auch in südlichen Ländern beim Betreten eines Hauses üblich ist, bevor er/sie dann in die Moschee hineingeht. Muslime machen sich bewusst, nun in Ehrfurcht vor Gott zu stehen. Das Gebet darf nicht zur Routine werden.
Die Gläubigen stehen in Reihen und beten gemeinsam. Dabei zitieren bzw. rezitieren sie Verse und Suren aus dem Koran. Auch Bittgebete in freier wie tradierter Form sprechen sie aus. Zur Haltung (der Körpersprache) beim Pflichtgebet gehören: gemeinsames Stehen, sich Verneigen oder Verbeugen, sich Niederwerfen, die Berührung des Bodens mit beiden Händen, Füßen, Kinn, der Stirn und der Nase. Der ganze Körper betet mit der Seele mit.
Die Frauen verrichten das obligatorische Gebet in der Gemeinde traditionell meistens auf der Empore einer Moschee. Die islamische Lehre schreibt beim Gebet in der Moschee weder eine Empore noch eigene abgetrennte Bereiche für Frauen oder die Trennung der Gebetsreihen vor. Frauen und Männer sollen angemessene Kleidung tragen, Frauen gemäß der Tradition ein Kopftuch und Männer eine Mütze oder einen Turban.

Auch für gläubige Christinnen und Christen strukturiert das Gebet den Tag. Sie verrichten diese Gebete meist individuell. Das Morgen- und Abendgebet gehört ebenso wie die Gebete vor und nach dem Essen zu ihrer religiösen

Klang und Spiel der Orgel zum Lob Gottes. Zu den christlichen Kirchen (Gotteshäusern) gehören sie fast immer dazu.

Praxis. Im Gebet preisen sie Gott, halten Fürbitte, danken für das Leben und die guten Gaben der Schöpfung – besonders in Verbindung mit den Mahlzeiten.
In den Ordensgemeinschaften halten auch Nonnen und Mönche Gebetszeiten von vor Sonnenaufgang bis in die Nacht. Das so genannte Stundengebet der (katholischen) Kirche wird hier als Ausdruck geistlichen Lebens gepflegt. Einige Christen suchen Ordensgemeinschaften auf, um für wenige Tage oder Wochen im Jahr im „Kloster auf Zeit" zu leben, um hier diese Gebetstradition für sich zu entdecken und so Kraft für das alltägliche Leben zu schöpfen.

Der Tag des gemeinschaftlichen Gebetes

Für Muslime ist der **Freitag** der Tag der Versammlung: Muslime sollen am Freitagmittag in Gemeinschaft ihr Gebet verrichten. Dieses Gebet findet unter der Leitung eines Imams (Vorbeters) in der Moschee statt. In größeren Ortschaften islamisch geprägter Länder gibt es oft auch eine eigene Zentralmoschee, die so genannte Freitagsmoschee.
An diesem Tag wird vor Verrichtung des Freitagsgebetes die Freitagspredigt gehalten. Der Imam steht auf einer Kanzel (genannt Minbar) und spricht über Glaubensfragen, moralische Richtlinien oder trägt „Geschichten zur Erbauung" vor. Der Prediger kann sich auch mit sozialen Fragen befassen, politische Missstände beklagen oder anklagen. Die Klagen über und die Anklage von gesellschaftlichen Ungerechtigkeiten und Fehlentwicklungen ist nicht „typisch islamisch", sondern gehört oft auch zur Predigt in christlichen Gemeinschaften und Gemeinden.
Der Freitag ist für Muslime kein Ruhetag, allerdings soll während der Gebetszeit die Arbeit ruhen (*Koran 62,9–10*). Die Pflicht, am Gemeinschaftsgebet teilzunehmen, gilt nicht für Kinder, Kranke und Reisende. Sie können, wenn es ihnen möglich ist, daran teilnehmen. Ebenfalls können die Frauen am Freitagsgebet teilnehmen.
Während man das tägliche Gebet zu Hause und überall auch individuell verrichten kann, darf das Freitagsgebet nur in Gemeinschaft und Schulter an Schulter gebetet werden.

Im gemeinschaftlichen Gebet wird für Muslime der soziale Aspekt des Glaubens deutlich: Herkunft, Ansehen, Besitz, Nationalität und Zugehörigkeit spielen keine Rolle mehr. Betont und demonstriert wird die Gleichheit aller Menschen vor Gott.

Zentrales Gebet der Muslime

Die Erste Sure des Korans (Die Öffnung – Al-Fátihah)

„Im Namen Allahs, des Gnädigen, des Barmherzigen.
Aller Preis gehört Allah, dem Herrn der Welten,
Dem Gnädigen, dem Barmherzigen,
Dem Meister des Gerichtstages.
Dir allein dienen wir, und zu Dir allein flehen wir um Hilfe.
Führe uns auf den geraden Weg,
Den Weg derer, denen Du Gnade erwiesen hast, die nicht [Dein] Missfallen erregt haben und die nicht irregegangen sind."
(Koran 1,1–7)

In christlicher Tradition ist der **Sonntag** „der Tag des Herrn": An diesem Tag kommen Christinnen und Christen zusammen, um Gottesdienst zu feiern, sich darin des Todes und der Auferstehung Jesu Christi zu erinnern und für sein Wirken zum Heil aller Menschen zu danken (*siehe* S. 115).

Die ersten Christen waren noch ganz im Judentum verwurzelt, sie begingen den Sabbat wie ihre Glaubensbrüder und -schwestern. Der Sabbat ist der letzte Tag der Woche. Die jungen christlichen Gemeinden entwickelten immer stärker ihre eigene Identität. Nicht nur Juden, die an Jesus Christus glaubten, kamen zur Gemeinde, sondern auch Menschen aus anderen Völkern und mit anderer religiöser Herkunft. Mit der Besinnung auf den gekreuzigten und auferstandenen Jesus, ihrem Christus (Messias, der Gesalbte), entwickelte sich ihr Herrentag mit dem so genannten Herrenmahl. So kam es, dass die Christen ihre regelmäßigen Versammlungen vom Sabbat auf den folgenden Tag verlegten; der Sonntag war der erste Tag

Ein katholischer Priester spricht ein Gebet. Zwei Jugendliche aus der Gemeinde (Ministranten) assistieren ihm.

des Neuanfangs. Aus dem „dies solis“ (dem Tag der Sonne) wurde der christliche Sonntag. Schon im Jahr 331 war der Sonntag bei den Römern ein staatlicher Feiertag.

An Sonntagen versammeln sich Christen in Kirchen (Gotteshäusern), um das Wort Gottes in Lesungen zu hören und das Herrenmahl zu feiern. Bei den katholischen Christen wird diese Gottesdienstfeier „Messe“ oder „Eucharistiefeier“ genannt (Eucharistie kommt aus dem Griechischen und bedeutet „Danksagung“), die evangelischen Christen nennen sie nach biblischer Überlieferung „Abendmahl“. Bei diesem Abendmahl hat Jesus seinen Freunden den Auftrag gegeben, dieses Mahl mit Brot und Wein immer wieder zu seinem Andenken zu begehen und ihm darin zu begegnen (*Bibel: Lukas 22,14–23*).

In Gebeten und Gottesdiensten machen Muslime und Christen das deutlich, woran sie besonders glauben: Muslime ergeben sich der Größe und Allmacht Gottes. Sie machen sich klein, um Allah in aufmerksamer Bescheidenheit ansprechen zu können. So werden sie Barmherzigkeit, Nähe und Rettung erfahren. Die Seele des Betenden begibt sich auf ihre spirituelle Himmelsreise zur Gegenwart seines Schöpfers und er nähert sich ihm so weit, bis er spürt, dass Gott ihm näher ist als seine Schlagader und sich in seinem Herzen spürbar macht.

Christen sind – und das gilt auch für jüdische Gläubige – davon überzeugt, dass Gott den Menschen nahe sein will. Darum können sie Gott wie Kinder „Vater“ nennen. Er ist „der Vater des Erbarmens und der Gott allen Trostes.“ (*Bibel: 2. Korintherbrief 1,3*)

Zentrales Gebet der Christen

Das „Vater unser“

Vater unser im Himmel,
geheiligt werde dein Name.
Dein Reich komme,
Dein Wille geschehe, wie im Himmel so auf Erden.
Unser tägliches Brot gib uns heute.
Und vergib uns unsere Schuld, wie auch wir vergeben unseren Schuldigern.
Und führe uns nicht in Versuchung,
sondern erlöse uns von dem Bösen.
Denn Dein ist das Reich und die Kraft und die Herrlichkeit in Ewigkeit.
Amen.

Gebetskette und Rosenkranz

Die Gebetskette der Muslime, genannt **Tasbih** (türk. Tesbih), hat 99 Perlen. Im Anschluss an das rituelle Gebet werden je 33-mal die Lobwörter zu Gott subhanallah, alhamdulillah und allahuakbar (hochgepriesen sei Gott, hochgelobt sei Gott, Gott ist groß) wiederholt, sozusagen stellvertretend für und als Erinnerung an die 99 schönsten Namen Gottes. Damit man sich dabei nicht verzählt, bedient man sich der Gebetskette. Sie hat keinerlei heilige oder religiöse Bedeutung und ist nichts anderes als ein Hilfsmittel, auf das man sogar gänzlich verzichten könnte, wenn man geistig konzentriert ist. Zum Abschluss des Lobes erhebt der Betende seine Hände zum Himmel und bittet Gott um alles, was er auf dem Herzen hat, sowohl für sich als auch für seine Menschen- und Glaubensgeschwister. Dann berühren die Hände das Gesicht und den Körper mit der Vorstellung, dass es sich dabei nicht um bloße und nackte Hände, sondern um den Segen, die Gnade, Barmherzigkeit, Schutz und Vergebung Gottes handelt, die Er unseren Händen zuteil werden lässt.
In der Öffentlichkeit benutzen manche Muslime diese Kette mit nur 33 Perlen (als Hilfsmittel zum Zählen), die sowohl zum Stressabbau, Zeitvertreib und zur Meditation dienen kann.

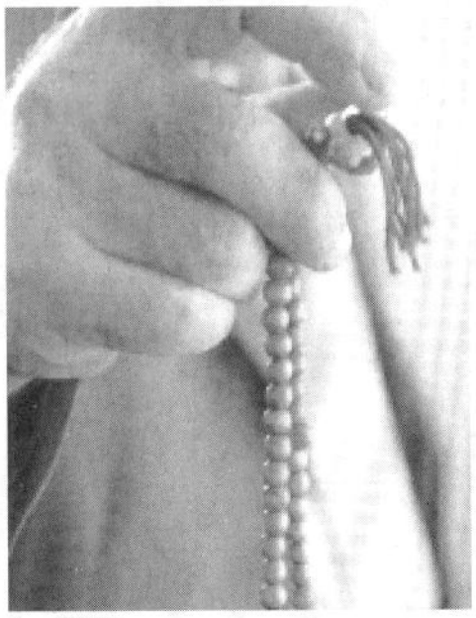

Auch katholische Christen kennen eine Gebetskette: den **Rosenkranz.** Das Rosenkranzgebet entstand aus der Marienfrömmigkeit des frühen Mittelalters. Es wird eingeleitet durch das Glaubensbekenntnis der Christen. Dabei wird das kleine Kreuz an der Perlenkette festgehalten. Danach wird das „Ehre sei dem Vater" gesprochen und das „Vater unser" und drei „Gegrüßet seist du, Maria". Dieses „Ave Maria" ist ein bekanntes Mariengebet, das von katholischen Gläubigen gebetet wird. Jetzt folgen im Rosenkranz fünfmal zehn „Gegrüßet seist du, Maria", verbunden mit sich immer wiederholenden Sätzen, die auf das Heilswirken Jesu Bezug nehmen. Das Rosenkranzgebet ist ein sehr meditatives Gebet. Die zahlreichen Wiederholungen sollen dem Betenden helfen, sich zu versenken. In dieser Gebetsform wird keinesfalls Maria angebetet, denn auch im Christentum darf nur Gott selbst angebetet werden. Vielmehr wird das Leben der Mutter Jesu auf Gott und Jesus Christus hin bedacht. Der Rosenkranz kann allein oder in Gemeinschaft (im Wechsel) gebetet werden.
Rosenkranz und Tasbih (Tesbih) laden in gleicher Weise zum meditativen Gebet ein.

Ein muslimischer Junge fragt: Warum betest du nicht?

Der katholische Bischof Martin Happe lebt und arbeitet als Christ in der Islamischen Republik Mauretanien. Die Christen dort sind Ausländer. Mauretanier gehören dem Islam an – so die Verfassung des Landes. Der Bischof ist mit Sidi Muhammed befreundet und besucht ihn und seine Familie regelmäßig. Von einem dieser Besuche berichtet er: „So kam bei einem meiner letzten Besuche der älteste Sohn, der Muhammed heißt, und setzte sich stolz zu uns. Aber dann ging er lächelnd und ohne Vorwarnung zum Angriff über: ‚Martin, warum betest du nicht?' Sidi Muhammed ist mir dann gleich mit der Antwort zuvorgekommen: ‚Martin ist ein gläubiger Mensch und er betet wie wir. Nur betet er nicht zu den gleichen Zeiten und auch nicht auf die gleiche Art wie wir', hat er seinem Sohn geantwortet. Dem war aber so leicht der Wind nicht aus den Segeln zu nehmen und er fuhr fort, wobei er mich nicht anzuschauen wagte: ‚Der Religionslehrer hat uns gesagt, die Christen kämen alle in die Hölle!' Auf diese starke Aussage hat der Vater gleich eine Antwort, die mir bis heute in den Ohren klingt. Ohne seine Ruhe zu verlieren, sagt er: ‚Sieh mal, ich habe in meinem Leben viele Priester kennen gelernt. Alle waren Männer, die gut sind und Gutes tun, die sich ihrer Mitmenschen annehmen, auch wenn diese nicht den gleichen Glauben mit ihnen teilen. Wenn dein Religionslehrer glaubt, dass Gott Männer, die ihr Leben damit verbringen, Gutes zu tun, in der Hölle braten lässt, ich glaube es nicht.' Die Antwort hat dem Sohn offensichtlich zugesagt, denn er hat mich daraufhin mit seinem schönsten Lächeln angestrahlt, ist aufgestanden und hat sich zu seinen Brüdern und zu seinem Schwesterchen gesellt."

Feste begleiten das Jahr

Zum Leben der Christen und Muslime gehören immer wiederkehrende Festtage und besondere Zeiten, in denen das religiöse Leben den Alltag durchbricht und bestimmt.
Feste bestimmen den christlichen und islamischen Jahreskreislauf. In den Festen und im gemeinsamen Feiern wird die geistig-geistliche Dimension des Glaubens, aber auch im gemeinsamen Feiern die soziale Dimension sichtbar und erlebbar.
Mit den Festen verbunden hat sich auch vieles entwickelt, das als „Brauchtum" oder „Tradition" bezeichnet werden kann.
Ein Beispiel für Brauchtum in Deutschland:

Am Ende des Winters wurde früher die dunkle Zeit „herausgetrieben". Die Menschen machten Lärm, trugen Masken und feierten gemeinsam. Dies war ein Frühlings- und Fruchtbarkeitsritus. Später kam noch ein weiterer Grund hinzu: Vor der christlichen Fastenzeit sollte „noch einmal kräftig gefeiert werden". Schon aus dem 12. Jahrhundert ist dies in Verbindung mit der Fastenzeit bekannt. Es ist zu erkennen, dass die Vertreibung „dunkler Mächte" in der heidnisch-germanischen Zeit ihren Ursprung hat und dass ausgelassenes Feiern (vor der Fastenzeit) bereits mit der christlichen Buß- und Fastenpraxis in Verbindung steht.

Festtage im Islam

Die großen Feste im Islam sind vor allem das Opferfest und das Ramadanfest, das Fest des Fastenbrechens. Diese Festtage – wie auch alle anderen religiösen Zeiten – werden nach dem islamischen Mondkalender berechnet, der im Vergleich zum westlichen Sonnenkalender weniger Tage pro Jahr, d.h. kürzere Jahre hat. Das Opferfest wird am 10. Tag des Monats der Pilgerfahrt und das Fest des Fastenbrechens zum Ende des Ramadan begangen.

Das **Opferfest** wird vier Tage gefeiert. Die Tradition des Opfers geht auf Abraham (arab. Ibrahim) zurück, der bereit war, seinen Sohn Ismael (in der Bibel Isaak) zu opfern. Gott wollte, so die Überlieferung, Abraham prüfen, um seiner Gottergebenheit Raum zu bieten. Er bestand die Prüfung und konnte statt seines Sohnes ein Schaf opfern (*Koran 37,99–113/Bibel: Genesis 22,1–19*). Der tiefe Sinn dieser Handlung ist nur spirituell-religiös verständlich. Da Gott nach muslimischem Glauben Abraham zu seinem engen Freund und zum Imam, d.h. zum geistigen Führer der Menschheit, machen wollte, sollte die Menschheit ein für alle Mal von seiner Gottergebenheit (Islam-Muslim) überzeugt werden. So wie Abraham zum Opfer bereit war, so sollen Muslime die Opferbereitschaft zur Gottesdienerschaft in Erinnerung halten.
Das Opferfest (türkisch: Kurban Bayrami) hat eine wichtige Funktion in der Bewahrung der muslimischen Identität in der Diaspora und vermittelt das Gefühl einer globalen Zusammengehörigkeit. Angesichts der heute geltenden gesetzlichen Vorschriften in Deutschland ist es schwierig, die Bedingungen des Opfers zu erfüllen. Das Bewusstsein, dass die islamische Gemeinschaft aller Muslime auf der ganzen Welt besteht, die Umma (*siehe* S. *47*), kann

an diesen Tagen besonders symbolhaft erfahren werden.

Das Ritual des Opferfestes hat einen rein symbolischen Charakter und einen tiefen spirituellen Sinn: Vom Fleisch der Schlachttiere werden Arme gespeist und die Opferung ist ein Symbol und ein Ausdruck der Selbsthingabe. Im Koran heißt es: „... Weder ihr Fleisch noch ihr Blut erreicht Gott, aber Ihn erreicht eure Gottesfurcht." (*Koran 22,37*)

Zum spirituellen Aspekt gehört auch der soziale: Nach dem rituellen Schlachten wird das Opfertier so geteilt, dass zwei Drittel davon sowohl an Arme als auch an Besucher und Gäste während der vier Festtage verteilt werden. Ein Drittel darf für die eigene Familie zurückbehalten werden.

Am Morgen des ersten Ramadan- und Opferfesttages kommen die Muslime in Moscheen zum Festgebet zusammen. Dieser erste Tag ist sowohl im Ramadan wie auch beim Opferfest der Tag, an dem die Muslime sich äußerst zahlreich in der Moschee versammeln – von der hohen Beteiligung etwa vergleichbar mit den christlichen Gottesdiensten zu Weihnachten.

Üblicherweise feiert die Familie am ersten Tag zu Hause. Es wird festlich gegessen und gefeiert. An den folgenden Tagen finden gegenseitige Besuche der Familien und Verwandten bzw. der Landsleute und Nachbarschaft statt. In Deutschland laden an diesen Festtagen Muslime auch Freunde und Bekannte ein. So finden Muslime, Juden und Christen, Menschen aus unterschiedlichen Nationalitäten zusammen. Die Freude, die Muslime aus diesem Fest schöpfen, wollen sie mit vielen Menschen teilen.

Das Ramadanfest – Fest des Fastenbrechens (in der Türkei von einigen „Zuckerfest" genannt) hat eine große gesellschaftliche Bedeutung. Dieses Fest wird am Ende des Fastenmonats Ramadan öffentlich mit vielen Gästen begangen. Muslime und ihre Gäste treffen sich zum Festessen. Man wünscht sich alles Gute und den Segen Gottes. Kleine Geschenke werden mitgebracht und unterstreichen die Freude und Wertschätzung der Glaubensgemeinschaft – lokal wie weltweit (*siehe S. 88*).

Jahr für Jahr herrscht bei Muslimen (auch in Deutschland) große Freude – und dies schon vor dem Fastenmonat. Die für Muslime einmalige Faszination und die feierliche Atmosphäre jedes Jahr neu zu erleben, ist beeindruckend.

Viele Muslime nutzen die Zeit des Ramadan für wissenschaftliche Studien oder für die Meditation. Vor dem Morgengrauen stehen die Fastenden auf, nehmen das Frühstück ein, trinken, spülen den Mund gründlich und fassen innerlich den Vorsatz: „Ich habe heute vor, zum Wohlgefallen Gottes zu fasten." Diese Absichtserklärung spricht man jede Nacht und vor Beginn jeden Fastens. Es wird den Gläubigen dadurch bewusster, dass sie sich durch das Fasten gereinigt, immer mehr um Gottes Willen bemühen. Sie ertragen den Hunger und Durst und lassen sich durch das Fasten zu einem mehr und mehr friedlichen Wesen erziehen.

Gemeinsam essen und feiern: Zum Fastenbrechen werden häufig auch christliche Nachbarn eingeladen.

Keines dieser Feste ist in Deutschland als gesetzlicher Feiertag anerkannt.

Neben den beiden Hauptfesten kennen Muslime weitere Anlässe für eine Feier, wie den Geburtstag des Propheten Muhammed (Mawlid) oder das Fest aus Anlass der Himmelsreise des Propheten oder das Fest „Nacht der Macht" zur Erinnerung an die Offenbarungen des Korans. Sie gedenken auch gerne feierlich der Auswanderung des Propheten von Mekka nach Medina.

Die Nacht der Allmacht (Lailat al-Qadr): Im Fastenmonat Ramadan ist für die Muslime eine Nacht von ganz besonderer Bedeutung. In dieser Nacht empfing der Prophet nach der Lehre des Islam die ersten Verse der göttlichen Offenbarung. Dies bedeutete gleichzeitig seine Berufung zum Gottgesandten.

Im Koran heißt es in der Sure 97 („Die Allmacht" al-Qadr): „Im Namen Gottes, des Erbarmers, des Barmherzigen. Wir haben ihn [den Koran] in der Nacht der Allmacht hinabgesandt. Woher sollst du wissen, was die Nacht der Allmacht ist? Die Nacht der Allmacht ist besser als tausend Monate. Die Engel und der Geist kommen in ihr mit der Erlaubnis ihres Herrn

herab mit jedem Anliegen. Voller Frieden ist sie bis zum Anfang der Morgenröte."
Die Muslime erleben und feiern diese Nacht in einer der letzten zehn Nächte des Monats Ramadan, meistens in der siebenundzwanzigsten Nacht. Die Gläubigen erwarten von dieser Nacht, etwas Besonderes zu erleben. Auf jeden Fall möchten sie den Frieden spüren, der die ganze Nacht bestimmt.
Eine Besonderheit der Ramadannächte ist, dass auch zahlreiche muslimische Frauen ihre Gebete in den Moscheen verrichten – übrigens auch die, die ansonsten meistens zu Hause beten.

Christliche Feste

Das wichtigste Fest der Christen ist das **Osterfest,** das im Frühling gefeiert wird. Es gehört zu den so genannten „beweglichen Festen" und wird gemäß des Mondkalenders am ersten Sonntag nach dem ersten Vollmond im Frühling begangen.
Zum Ende der 40-tägigen Fastenzeit wird am Gründonnerstag (Donnerstag vor dem Osterfest) des Abendmahls Jesu mit seinen Jüngern gedacht. Es war das letzte gemeinsame Mahl vor seinem Tod. Christen lassen sich an den Auftrag erinnern, dieses Heilige Mahl auch in Zukunft im Andenken an Jesus Christus zu begehen.
Es folgt der Karfreitag (gesetzlicher Feiertag in Deutschland). An diesem Tag wird in Gottesdiensten („kara" kommt aus dem Althochdeutschen und bedeutet Trauer, Klage) des Leidens und Todes Jesu am Kreuz gedacht, aber auch an die Heilsbedeutung seines Todes für alle Menschen erinnert.
Und dann wird Ostern gefeiert, das Fest der Auferstehung Jesu Christi. Dies ist für Christen das Fest des Lebens. Die zentrale Botschaft von Ostern lautet: Jesus Christus ist auferstanden. Gott hat Jesus nicht im Tod gelassen, sondern ihn „auferweckt am dritten Tag". Der Tod hat keine Macht mehr (*Bibel: Lukas 24,1–12*). Und so wie Gott Jesus aus dem Tod erweckt hat, wird er am Ende der Zeit alle Menschen aus dem Tod erwecken. Diese Freude und Hoffnung ist mit Ostern verbunden.
Symbolisiert wird dieser Sieg über den Tod durch das Licht der Osterkerze in der Dunkelheit der Nacht. Auch andere Symbole sind Ausdruck von Ostern: Osterblumen in den Wohnungen und Häusern, gefärbte „Ostereier", Lämmer aus Kuchenteig gebacken und

Hasen aus Schokolade. Aber auch alte Osterbräuche wie die Osterfeuer, zu denen sich die Menschen in ländlichen Gebieten versammeln, um Osterlieder zu singen, sind Bestandteil des Festes.

Das gefühlvollste und schönste christliche Fest ist für viele Menschen **Weihnachten** (25./26. Dezember). – Übrigens gilt dies auch für viele Nichtchristen. Am 25. Dezember feiern die Christen die Geburt Jesu. In den Ostkirchen wird Weihnachten am 6. Januar begangen. Bereits am Vorabend des 25. Dezembers, dem Heiligen Abend, wird das Fest der Geburt Jesu in den Familien gefeiert und es werden Geschenke ausgetauscht.

Das Neue Testament berichtet, dass Jesus in der Nacht in einem Stall zur Welt kam. Die ersten, die ihm Ehre erwiesen, waren arme Hirten (*Bibel: Lukas 2,1–20*).

Die Sternsinger sind zu Jahresbeginn unterwegs. Sie schreiben ein christliches Segenszeichen an die Tür derer, die sie besuchen.

Diese Geschichte wird in so genannten Weihnachtskrippen mit kleinen Figuren dargestellt. Viele Menschen verbinden mit den Bräuchen und Gottesdiensten um und zu Weihnachten sehr viel Herzlichkeit. Für sie ist Weihnachten das Fest der Liebe.

Mit Weihnachten verbinden Erwachsene oft Erinnerungen aus der Kindheit, geheimnisvolle Geschichten, kleine Überraschungen in den Wochen vor Weihnachten (der Adventszeit), Lichter, Farben, bunte Schaufenster, Weihnachtsmärkte und überall Weihnachtsmusik.

Kritische Anmerkung: Zu beobachten ist, dass sich Weihnachten zu einem Konsumfest entwickelt hat. Die Macht der Konsumanbieter ist dermaßen groß, dass viele christliche Inhalte, so beklagen das die christlichen Kirchen, überlagert und verdeckt werden. Der Rhythmus und die Folge der religiösen Zeiten werden nicht mehr verstanden. Schon Wochen vor dem Fest sind Tannenbäume mit Lichtern viel zu früh geschmückt und Lautsprecher in den Kaufhäusern verbreiten weihnachtliche Lieder von der Geburt Jesu. „Weihnachtsmänner“ werben für bestimmte Produkte. Das alles hat wenig mit christlichem Weihnachten zu tun.

Halloween

Für viele Feste gilt, dass die religiösen Inhalte in den Hintergrund geraten sind. Oft steht allein der Konsum im Mittelpunkt. Dies lässt sich in den letzten Jahren beispielsweise gut an Halloween aufzeigen. Der 1. November wird von Christen als Allerheiligenfest begangen. An diesem Tag wird besonders an die Verstorbenen gedacht. – Was in Amerika schon viele Jahre üblich ist, wird nun auch in Deutschland immer mehr am Vorabend von Allerheiligen gefeiert. Kinder spielen in Geisterkostümen kleine Streiche. Partys in Geisterkostümen finden statt. Halloween ist eine Art Winterkarneval. Das Ganze hat vermutlich vorchristlich-keltische Wurzeln; da streiten sich noch die Experten. Die Konsumindustrie hat dieses Fest in Deutschland vermarktet. Es geht bei Halloween also hierzulande nicht um einen Volksbrauch und erst recht nicht um Volksglauben.

Gefeiert werden neben anderen Festen auch **Christi Himmelfahrt** und **Pfingsten** als das Fest der Sendung des Heiligen Geistes Gottes auf die Gemeinde. Für evangelische Christen ist der Reformationstag von besonderer Bedeutung. Hier gedenken sie der Reformation durch Martin Luther. Das Jahr 1517 wird als Beginn der Reformation angesehen.

Weitere christliche Feste: Im November gibt es bereits das Martinsfest (11. November) mit Lichterumzügen. Martin, Bischof von Tours (geboren um 316/317), wird in der katholischen Kirche als Heiliger verehrt. Einige Wochen später (5./6. Dezember) erhalten am Nikolausfest Kinder kleine Geschenke. Die katholische Kirche gedenkt an diesem Tag des Heiligen Nikolaus, der zu Beginn des 4. Jahrhunderts in Myra (heute Türkei) als Bischof gewirkt hat.

Feste stärken die Gemeinschaft!

Einige praktische Hinweise aus muslimischer Sicht

Feste sind geeignete Anlässe, den Glauben von Menschen kennenzulernen und mehr darüber zu erfahren. So besteht beispielsweise die Möglichkeit, Angehörigen anderer Religionen Grüße anlässlich ihres Festes zu übermitteln und darin Respekt vor dem Glauben des Anderen zum Ausdruck zu bringen. Muslime können beispielsweise ihren christlichen Nachbarn einen Weihnachtsgruß senden. **Gegenseitige Grußbotschaften haben eine positive Signalwirkung.**
Muslime freuen sich, wenn aus anderen Religionen oder von Nachbarn oder Arbeitskollegen Grüße zum Fest übermittelt werden. Dies ist ein positives Zeichen, das die Achtung vor der anderen Religion ausdrückt. Muslime sehen in dieser Geste eine große soziale wie religiöse Anerkennung.
Eine islamische Gemeinde würde sich sehr freuen, wenn beispielsweise eine christliche Delegation gegen Ende oder vor dem Nachtgebet der „Nacht der Allmacht“ in einer Moschee den Muslimen zum Fest gratulieren würde.

Die Feste stärken den Zusammenhalt einer Gemeinschaft. Dies gilt für Stadtfeste und Dorffeste, Vereins- und Straßenfeste. Erst recht kann dies für religiöse Gemeinschaften und deren Feste gelten. **Feste stärken die Identität der Gemeinschaft.** Dies ist besonders für Glaubensgemeinschaften, die in der Minderheit leben, wichtig. – Muslime werden sich in die deutsche Gesellschaft besser und leichter integrieren, wenn sie spüren, dass sie hier auch angesichts eigener religiöser Identitäten und Traditionen willkommen sind.

VI. Sterben, Tod und der Glaube an ein Weiterleben

Es ist ein Verdienst der Religionen, dass das Sterben und der Tod nicht ganz aus dem öffentlichen Bewusstsein verdrängt wurden und das Sprechen darüber nicht verstummt ist. Für Religionen hat der Tod seinen Platz im Leben. Ihre Gemeinschaften helfen mit, dass der Tod nicht zum Schrecken wird. Sie bieten Halt, Orientierung, Trost und Hilfe. Die Toten werden aus der Gemeinschaft nicht ausgeschlossen, sondern behalten ihren Platz im Gedenken und Bewusstsein der Gemeinde.

Muslime und Christen geben Antworten auf die Fragen: Was ist der Tod? Gibt es ein Weiterleben? Wie kann an ein Leben nach dem Tod gedacht und daran geglaubt werden?
Sie unterstützen Trauernde, helfen also den Hinterbliebenen und pflegen mit ihren Ritualen, Gebeten und Gottesdiensten die Achtung vor den Verstorbenen.
Muslime und Christen dienen dem Leben, indem sie den Umgang mit den Verstorbenen würdig gestalten.

Es hatte vor Jahren in Deutschland den Anschein, dass Sterben immer mehr in abgeschirmten Winkeln zu geschehen hätte. Aus dem Blick genommen, in Sterbezimmern der Kliniken, oft allein gelassen, so mussten viele sterben. Und kritisch sei angemerkt: Dies kommt immer noch vor.
Nun zeigt sich allerdings eine Veränderung: Das Sterben wird nicht mehr so stark wie in früheren Jahren aus der öffentlichen Wahrnehmung ausgegrenzt. Sterben gehört zum Leben und wird als die letzte wichtige Aufgabe begriffen, die ein Mensch „leisten“ muss.

Vor dem Tod kommt das Sterben

Christen und Muslime treten der Ausgrenzung von Sterben und Tod entgegen: Sie bemühen sich darum, dass das Sterben in der Mitte der Familie, der Freunde und Freundinnen, letztendlich der Gemeinschaft, möglich wird. Sie unterstützen Sterbende mit ihrer Anwesenheit und ihrem Gebet und helfen, den Sterbenden loszulassen, damit dieser gehen kann.

Der **Hospizbewegung** ist u. a. zu verdanken, dass (wieder) offener über Sterben und Tod in diesem Land gesprochen wird und das Sterben und der Tod ins Leben integriert werden. Sie unterstützt Sterbende und ihre Angehörigen, damit das Leben auch in seiner letzten Phase würdig und möglichst eigenbestimmt gelingen kann. Die persönliche religiöse Überzeugung der Sterbenden wird uneingeschränkt anerkannt. Die Hospizbewegung ist eine überkonfessionell tätige Organisation, die sich der Würde des Menschen verpflichtet weiß. Unter den überwiegend ehrenamtlich Tätigen engagieren sich viele Christinnen und Christen, aber ebenso Menschen mit anderem religiösen und weltanschaulichen Hintergrund.
In einigen Städten gibt es Hospize, also Häuser, in denen Menschen in ihrer letzten Lebensphase leben und sterben können. Und die Hospizbewegung hilft in der Trauer.

(www.hospiz.net)

Was glauben Christen angesichts des Todes?

Das christliche Glaubensbekenntnis sagt in aller Deutlichkeit: „Ich glaube an die Auferstehung der Toten und das ewige Leben." Zu diesem christlichen Bekenntnis gehört der Glaube an die **Auferstehung des Leibes.** Dazu die Bibel: „Die Stunde kommt, in der alle, die in den Gräbern sind, seine Stimme hören und herauskommen werden." (*Bibel: Johannes 5,28–29*) Schon in den Anfängen der christlichen Theologie wurden hierzu kritisch Fragen gestellt: „Nun könnte uns einer fragen: Wie werden die Toten auferweckt, was für ein Leib werden sie haben?" (*Bibel: 1. Korintherbrief 15,35*)
Leib, im Sinne des biblischen Verständnisses, meint den Bezug eines Menschen zu seiner Umwelt. So kann für Christen die leibliche Auferstehung die volle Herstellung der Bezüge zu allem Lebendigen sein. Es geht bei diesem Verständnis um die Vollendung des Einzelnen und um die Vollendung der gesamten Wirklichkeit. – Leibliche Auferstehung meint weiter, dass das Wesen eines Menschen, nämlich seine Personalität und seine Einzigartigkeit, nicht stirbt und im Tod vergeht. Christen gehen davon aus, dass die Personalität erhalten bleibt. So begegnet der Mensch Gott persönlich im „**Himmel**", was „bei Gott sein" bedeutet, mit der Verantwortung für das, was er gelebt und getan hat, mit seinen guten und schlechten Seiten. Gottesbegegnung nach dem Tod wird

als „Gericht“ verstanden, das dem Menschen eine Umkehr aus seiner Schuld eröffnet. Christen vertrauen auf einen barmherzigen Gott, der Versagen und Schuld des Menschen in Liebe verwandelt.

Die christliche Lehre von einem Leben nach dem Tod will dem Menschen keine Angst einjagen, sondern ihm die Hoffnung auf ein erfülltes, ewiges Leben mit Gott vermitteln und für ein solches Leben werben.

> **„Ich bin die Auferstehung und das Leben: Wer an mich glaubt, wird leben, auch wenn er stirbt.“**
> *(Bibel: Johannes 11,25)*

Was glauben Muslime angesichts des Todes?

Eine der sechs Grundsätze der islamischen Glaubenslehre ist der Glaube an den Jüngsten Tag und an die Auferstehung nach dem Tod mit Leib und Seele. „Ich glaube an den Jüngsten Tag und an die Auferweckung nach dem Tod“ lautet dieser Grundsatz. **Auferstehung von den Toten ist für Muslime die Rückkehr zu Gott.**

Das Universum mit allen darin enthaltenen Geschöpfen und Lebewesen, auch der Mensch, hat ein befristetes Leben und kehrt nach seinem Ableben zum Schöpfer zurück. Diese Frist des Universums ist vorherbestimmt. Wann sie abläuft, weiß nur der Schöpfer. Die Geburt macht nur einen Teil eines Ganzen aus, das Sterben ist der andere Teil und der Zugang zur Ganzheit. Sowohl das Leben als auch der Tod sind von Gott, dem Erhabenen, erschaffen. Mit dem Tod ist das irdische Leben beendet, das Leben als Persönlichkeit geht aber weiter. Muslime nehmen an, dass der Verstorbene weiterhin eine Wahrnehmung hat. Das Sterben und der anschließende Tod ist ein Prozess des Übergangs vom Irdischen zum Ewigen, vom Vergänglichen zur Barmherzigkeit des Allerbarmenden, des Gnädigen. Der befristete Aufenthalt im Grab ist die Zeit einer Zwischenstation zur unbefristeten Gegenwart bei Gott.

Immer wieder erzählen Gläubige davon, dass sie durch ihre Träume gelegentlich eine Verbindung mit ihren verstorbenen Verwandten erleben. Sie übergeben den Verstorbenen nicht in eine Leere, sondern in die Hände des Barmherzigen, des höchsten Freundes und Begleiters. Der Verstorbene wird nach muslimischem Glauben nach seinem Tod und seiner Beisetzung schon im Grab von zwei Engeln empfan-

Auf christlichen Friedhöfen ist häufig die Gestalt des Engels zu finden.

gen, die ihn über die Grundlagen des Glaubens befragen. Es findet eine Art Prüfung, die letzte Kontrolle vor dem Einstieg in die Ewigkeit und vor dem Zutritt zu Gottes Barmherzigkeit statt (*Koran 41,30–32*). Diese Befragung ermöglicht dem Verstorbenen die Einsicht darin, inwieweit er einen Eindruck von der Hölle, dem Fernbleiben der Gegenwart Gottes, oder einen Vorgeschmack des Paradieses, die Nähe der Gegenwart Gottes, erhält.

Wenn die Stunde gekommen ist, werden die Toten durch Posaunen des damit beauftragten Engels auferweckt. Dann ist der Tag der Auferstehung und des Jüngsten Gerichtes angebrochen. Im Leben wendet sich der Gläubige freiwillig Gott zu. Am Tag des Gerichts ist die Auferstehung unwiderruflich die Rückkehr zu Gott. Da gibt es keinen Ausweg.

Aussagen des Korans zum Tod und ewigen Leben

„Sprich: Der Tod, vor dem ihr flieht, wird euch erreichen. Dann werdet ihr zu dem, der das Unsichtbare und das Offenbare kennt, zurückgebracht, und Er wird euch kundtun, was ihr zu tun pflegtet."
(Koran 62,8)

Auf diejenigen, die sagen: „Unser Herr ist Allah" und sich dann recht verhalten, kommen die Engel herab: „Fürchtet euch nicht, seid nicht traurig und freut euch auf das Paradies, das euch immer wieder versprochen wurde."
(Koran 41,30)

Einige muslimische Gelehrte verstehen die oft bunten Bilder vom Jenseits nicht wörtlich, sondern eher als gleichnishafte Beschreibungen des Unvorstellbaren („Kein Auge hat je gesehen ..."). Manche von ihnen beschäftigen sich sogar mit der Frage, ob die Auferstehung der Toten im leiblichen Sinne zu verstehen ist. Für die sunnitische Lehre ist das klar mit einem Ja zu beantworten. Diese orthodoxen Theologen streiten sich in dieser Frage mit Vertretern der islamischen Philosophie um das rechte Verständnis.

Alle stimmen darin ein, dass nach dem Tod die Auferweckung der Toten wahr ist und Gott als gerechter, für seine Diener barmherziger Gott am Tag des Gerichts richten wird.

Für Muslime und Christen gilt in gleicher Weise: Nach dem Tod endet das Leben nicht. Zu einer Stunde, die keiner kennt, kommt die Zeit

Spuren, ein Bild für das, was zurückbleibt: Erinnerungen ...

Unterschiedlich schwer und mühsam sind die Lebenswege. Stufen, Symbol für Entwicklung und Reifung, Anfang, Weg und Ende.

des Gerichts. Dieser „Tag des Gerichts" wird als „Jüngster Tag" oder „Jüngstes Gericht" bezeichnet, an dem sich Gottes Gerechtigkeit und Barmherzigkeit zeigt. Wird der Mensch unmittelbar in die Gegenwart Gottes in den Himmel aufgenommen oder bedarf es für ihn noch einer Zeit der Vervollkommnung und Reinigung?

Ein Muslim stirbt

Liegt ein Muslim im Sterben, versammeln sich Angehörige bei ihm, auch Kinder sind anwesend. Kranken werden Speisen mitgebracht. Diese Praxis gehört zum selbstverständlichen Umgang mit Kranken und Sterbenden.

Wenn der Sterbende danach verlangt, wird ein Imam geholt, der mit ihm betet. Sterbende werden, wenn ihnen dies möglich ist, auf

die rechte Körperseite gelegt, also mit dem Gesicht in **Blickrichtung nach Mekka** (südöstliche Richtung in Deutschland). Wenn dies allerdings nicht geht, so soll er auf dem Rücken liegen mit dem Blick nach Mekka.
Leise kann der Koran, beispielsweise die Sure 36, rezitiert werden. Diese Sure spricht in mehreren Versen von der Auferstehung. Im Vers 83 heißt es: „Preis sei dem, in dessen Hand die Herrschaft über alle Dinge ist und zu dem ihr zurückgebracht werdet."
Wenn für die Anwesenden deutlich wird, dass der Sterbende nun gehen muss, sprechen sie ihm das **Glaubensbekenntnis** leise vor. Die Begleitung des Sterbenden durch enge Familienangehörige und eines Imams ist bei seinem Übergang im letzten Atemzug wichtig. So war es auch, als er gerade geboren war. Damals wurde auch das Glaubensbekenntnis in sein Ohr gesprochen. Dieses hat ihn als gläubigen Muslim ein Leben lang begleitet. Nun wird es noch einmal mit ihm und für ihn gesprochen. Möglicherweise kann er es noch nachsprechen und seine letzten Worte sind: „Ich bezeuge, es gibt keinen Gott außer Gott, und ich bezeuge, Muhammed ist sein Prophet." Muslime glauben gemäß der Aussage des Propheten Muhammed, dass diejenigen zu den Paradiesbewohnern gehören, deren letztes Wort dieses Bekenntnis ist.

Christliches Sterben

Zur christlichen Sterbebegleitung gehört wie bei den Muslimen das Gebet: Häufig werden die Grundgebete „Vater unser" und „Ave Maria" gesprochen, ergänzend auch sich immer wiederholende kurze Sätze wie „Jesus, zu Dir gehöre ich, im Leben und im Tod ..." oder Sätze aus der Bibel (den Psalmen): „Der Herr ist mein Hirte ...".
Der Sterbende darf nicht überfordert werden. Auch ist wichtig zu bedenken: Was hilft ihm jetzt? Will der Sterbende eine religiöse Begleitung? Helfen ihm Worte des Glaubens?
Zu den Sakramenten (*siehe S. 124*) der katholischen Kirche gehört die **Krankensalbung.** Gebete und Salbung des Kranken durch einen Priester sollen ihm helfen, gesund und heil zu werden oder auch die Krankheit zu tragen. Früher wurde diese Handlung erst auf dem Sterbebett vorgenommen. Inzwischen werden eigene Gottesdienste für kranke und alte Menschen gestaltet, in denen die Krankensalbung gespendet wird.

Katholischen Kranken und Sterbenden wird auch die Eucharistie gereicht als das **„Sakrament der Wegzehrung“**. Damit ist die Stärkung des sterbenden Christen mit dem Brot und dem Wein gemeint, die nach christlichem Verständnis zum Leib und Blut Jesu Christi gewandelt wurden. Dem Sterbenden wird das Glaubensbekenntnis vorgesprochen.

Tote begleiten

Wenn **Christen** ihre Toten verabschieden, gehört dazu das Gebet und die Verabschiedung am (offenen) Sarg. In vielen Gegenden (vor allem im ländlichen und kleinstädtischen Milieu – dort, wo Menschen sich untereinander besser kennen und Nachbarschaftsbeziehungen vorhanden sind) besteht auch die Tradition, dass in den Tagen oder am Tag vor der Beerdigung Nachbarn zum Totengebet einladen. Hilfe bei der Vorbereitung und Gestaltung der Trauerfeier (auch Auferstehungsfeier genannt) gibt es bei den Seelsorgern und Seelsorgerinnen der Gemeinden. In manchen katholischen und evangelischen Gemeinden haben Gemeindemitglieder die Aufgabe übernommen, trauernde Angehörige zu begleiten.

Eine alevitische Familie gedenkt des verstorbenen Großvaters.

Die Beerdigung des Verstorbenen bzw. der Verstorbenen findet in der Regel einige Tage nach dem Tod statt. Es soll ausreichend Zeit bestehen, um alle Familienangehörigen, Verwandten und Freunde zu benachrichtigen. Bei den vielen Erledigungen vor einer Beerdigung helfen auch die Bestatter. – Der Wille des Toten ist zu beachten. Wie hat er es zu Lebzeiten gesagt und gewünscht: Möchte er auf einem Friedhof begraben werden? Wie soll die gottesdienstliche Trauerfeier stattfinden? Oder ist nach einem Verabschiedungsgottesdienst die Einäscherung und eine spätere Urnenbeisetzung vorgesehen? War es Wunsch des Verstorbenen, anonym bestattet zu werden? Auch solche Gräberfelder werden angeboten. Findet nach der Beisetzung ein gemeinsames Kaffeetrinken der Trauergäste und der Familie statt? Und wie soll später das Grab gestaltet werden?

Zum Paradies mögen Engel dich geleiten,
die heiligen Märtyrer dich begrüßen
und dich führen in die heilige Stadt Jerusalem.
Die Chöre der Engel mögen dich empfangen,
und durch Christus, der für dich gestorben,
soll ewiges Leben dich erfreuen.
(*Lied auf dem Weg zum Grab*)

Die Gebete in der Trauerhalle bzw. der Gottesdienst in der Kirche und der Gang zum Grab können den Hinterbliebenen helfen, den Tod zu begreifen und Abschied zu nehmen. Eine Ansprache, die das Leben des Verstorbenen würdigt und in Erinnerung ruft, kann trösten. Die Segnung des Sarges und das Gebet am offenen Grab verdeutlichen den Glauben der Christen: Der oder die Verstorbene ist durch Jesus Christus zum ewigen Leben bei Gott gerufen.

Wenn ein **Muslim** gestorben ist, dann ist alle mögliche Eile geboten. Nach islamischer Tradition soll ein Begräbnis möglichst bald nach dem Eintritt des Todes stattfinden.
Vorgeschrieben ist zunächst die rituelle Ganz-Waschung des Verstorbenen, ein Liebesdienst der nächsten Angehörigen, die allerdings auch von einem kundigen Bestatter vorgenommen werden kann. Nach der Waschung wird der Verstorbene in weiße Leichentücher (Kefen) gewickelt. Danach ist das gemeinschaftliche Totengebet verpflichtend. Dieses Gebet findet im Vorhof der Moschee oder auf einem Gebetsplatz statt, kann aber auch bei Bedarf auf dem Friedhof stattfinden. Hiernach wird der Tote im Sarg von anwesenden Muslimen auf den Schultern zum Grab getragen. Bei dieser Verabschiedung und dem Gang zur Grabstätte halten sich Männer und Frauen traditionell getrennt voneinander auf, wie auch beim Gebet im Allgemeinen.
Der Verstorbene wird auf seine rechte Seite gelegt mit Blick zur Kaaba in Mekka. Unmit-

telbar im Anschluss an die Beisetzung wird von den Anwesenden das Grab mit Erde gefüllt. Die Trauergemeinschaft bittet um Vergebung für die Verstorbene bzw. den Verstorbenen. Zur Begleitung und zum Abschied werden Worte Gottes aus dem Koran und das Glaubensbekenntnis rezitiert. So werden dem Verstorbenen noch einmal die Antworten auf die wichtigen und entscheidenden Fragen des Grabesengels mitgegeben.
Eine Feuerbestattung ist Muslimen nicht erlaubt. Gräber sollen möglichst schlicht gestaltet werden. Große Grabsteine und eine aufwändige Grabbepflanzung wie auch die spätere Grabpflege sind nicht Tradition. – Wie bei den Christen gilt auch für Muslime, dass sie die Gräber ihrer Angehörigen immer wieder besuchen sollen und für die Toten beten.

> **„Friede sei mit euch, ihr Bewohner der Gräber! Gott vergebe uns und euch. Ihr seid vorausgegangen und wir folgen euch.“**
> (*Gebet des Propheten Muhammed beim Besuch eines Verstorbenen auf dem Friedhof, das so überliefert wurde.*)

Wo können die Toten bestattet werden? Immer noch fehlen in den meisten Städten eigene Grabfelder, die so angelegt werden können, dass eine Ausrichtung aller Gräber nach Mekka möglich ist. Auch ist es generell nicht möglich, verstorbene Muslime in Tüchern (also ohne Sarg) zu bestatten. – Inzwischen ist in einigen Bundesländern die Sargpflicht aufgehoben worden. Dort, wo dies zugelassen ist, kann der Verstorbene in Tücher gewickelt begraben werden (*siehe Buchempfehlung S. 99*).

Die Bestattungskultur verändert sich zwangsläufig: In Deutschland gibt es zunehmend Menschen, die keiner Religionsgemeinschaft (mehr) angehören. Sie können und wollen in der Regel nicht, dass bei der Beerdigung auf religiöse Rituale zurückgegriffen wird. Häufig kommt es zu Unsicherheiten, wie die Trauerfeier gestaltet werden soll. Von den Angehörigen wird ein würdiger Ritus gewünscht. Ein Freund oder Verwandter des Verstorbenen übernimmt häufig die Aufgabe, den Verstorbenen in einer Ansprache zu würdigen. Inzwischen bieten auch so genannte „freie Bestatter“ ihre Dienste bei der Gestaltung einer Trauerfeier an. Seit einigen Jahren ist es möglich, die Asche des Verstorbenen am Fuß eines Baumes in einem so genannten Friedwald beisetzen zu lassen.

Kommen Muslime und Christen in *einen* Himmel? Diese Frage mag bei einigen ein Schmunzeln hervorrufen. Die Religionen können – trotz manch unterschiedlicher Auffassung – davon ausgehen, dass die Trennung der Glaubenden mit dem Tod aufgehoben ist. Gott wird, so werden religiöse Menschen denken, Grenzen überwinden. Gott ist der Gott aller. Und so darf getrost gefolgert werden: Es kann keine getrennte Himmelserfahrung geben.

Buchempfehlung zu Fragen des respektvollen Umgangs mit muslimischen Patienten und Patientinnen, ferner zur Frage der Sterbebegleitung und der Sorge für die Toten:
Ilhan Ilkilic, Begegnung und Umgang mit muslimischen Patienten. Eine Handreichung für die Gesundheitsberufe. Bochum 2005 (5. Auflage).
Zu bestellen: Zentrum für Medizinische Ethik, Institut für Philosophie GA 3/53, Ruhr Universität Bochum, 44780 Bochum,
E-Mail: Med.Ethics@ruhr-uni-bochum.de

VII. Leben in der Welt

Glauben im religiösen Sinn bedeutet nicht zuerst ein Fürwahrhalten von Sätzen, die eine jenseitige Welt betreffen, sondern eine Lebensweise, die sich im Handeln ausdrückt. Ein junger Mann antwortete auf die Frage, warum er sich ehrenamtlich in einem Altersheim engagiere: „Weil ich glaube." Und eine junge Frau auf die Frage, was sie zu ihrer Mitarbeit in einer Friedensgruppe bewege: „Weil ich an Gott und an die Vision einer gerechten Welt glaube." Glauben und Handeln gehören untrennbar zusammen.
Schmerzlich wird dieser Zusammenhang deutlich, wenn Menschen mit Bezug auf ihren Glauben andere Menschen demütigen, verletzen oder gar Terroranschläge planen oder verüben, aber auch wenn sie Gewalt anwenden, indem sie „im Namen des Herrn" einen „Kreuzzug gegen das Böse" führen. Auch wenn hierfür oft nicht religiöse, sondern politische Gründe ausschlaggebend sind, zeigt dies: Der Glaube ist nicht auf die private Kammer beschränkt, sondern wird öffentlich.

Gesetze und Normen

Die monotheistischen Religionen, Judentum, Christentum und Islam, sehen Gott als Urheber und Begründer von Rechtssatzungen, von Geboten und Verboten. Diese in Gott begründeten Rechtsordnungen umfassen sowohl den individuell-privaten wie auch den öffentlich-politischen Bereich. In diesen religiös begründeten, verbindlichen Rechtssatzungen liegt ein Konfliktpotenzial. Gottes Gebote können im Verständnis von Gläubigen mit staatlichem Recht kollidieren. Die Auseinandersetzungen um die Evolutionslehre und Sexualkunde in amerikanischen und deutschen Schulen, um das rituelle Schächten oder um die Teilnahme muslimischer Schülerinnen am Sport- und Schwimmunterricht beschäftigen immer wieder die Gerichte. Eltern wenden sich mit Berufung auf „Göttliches Recht" gegen staatliche Verordnungen.

Die zehn Gebote in der Bibel

Allgemein bekannt sind die den Menschen in die Pflicht nehmenden Zehn Gebote, auch „Zehnwort“ oder „Dekalog“ genannt. Im Zweiten Buch Mose, dem Buch Exodus, sind diese „Zehn Gebote“ verzeichnet (2. *Buch Mose, Exodus 20,2–17*). Im Fünften Buch Mose (5. *Buch Mose, Deuteronomium 5,6–21*) werden sie noch einmal wiederholt. Am Sinai hat, nach Überzeugung des Judentums, Gott neben der „schriftlichen Tora“ auch eine „mündliche Tora“ überliefert, die in der Lehre der jüdischen Gelehrten, der Rabbiner, entfaltet wird.

Die jüdische Heilige Schrift ist Bestandteil der christlichen Bibel. Jesus hat die Tora und die Zehn Gebote keinesfalls aufgehoben und er hat kein neues Gesetz erlassen, sondern die Erfüllung des jüdischen Gesetzes verlangt.
In unterschiedlichen Ausgaben christlicher Katechismen sind die Zehn Gebote an zentraler Stelle aufgenommen. Auch das Christentum kennt ein „Göttliches Recht“.
Der Koran erwähnt an zahlreichen Stellen Mose, in dem er einen von Gott gesandten Propheten sieht.

Zum Glauben von Juden, Christen und Muslimen gehört die Überzeugung, dass die Menschen vor Gott am Ende der Zeiten für ihr Verhalten Rechenschaft abzulegen haben. Eine Missachtung der göttlichen Gebote bleibt nicht folgenlos. Das Gottesgesetz wird aber nicht als „äußeres Strafrecht“ verstanden, sondern als ein „inneres Gesetz“, das in das Herz der Menschen gelegt worden ist.

Das islamische Rechtsverständnis: Scharia

In der deutschen Öffentlichkeit gibt es viele Vorurteile zur Scharia. Für die meisten Muslime in Deutschland ist die Einführung der Scharia als staatliches Recht kein Thema.
Was ist die Scharia? Scharia (arabisch, etwa: breiter Weg, Weg zur Quelle) beschreibt das richtige Verhalten des Menschen zu Gott sowie zu anderen Menschen. Für den Glaubensweg von Muslimen ist nach der Scharia die Erfüllung von religiösen Geboten entscheidend. Diese aus dem Koran hergeleiteten Richtlinien, als die fünf Säulen des Islam bekannt, sind vorrangig gemeint (*siehe* S. 59). Die Scharia umfasst die gesamte göttliche Schöpfungsord-

nung und wird meist mit „Islamisches Recht" (fiqh) wiedergegeben. In einigen islamisch geprägten Ländern gehören dazu auch Regelungen zwischen dem Staat und der islamischen Religion, die allerdings in vielen muslimischen Ländern nicht mehr und in Deutschland nicht praktiziert werden.

Erkennbar wird dieser Weg für Muslime im Koran und im Vorbild des Propheten. Diese beiden Quellen sind die Grundlage des islamischen Rechts. Die Scharia ist kein fertiges Gesetzbuch und kein endgültig systematisiertes Recht. Die Umsetzung der dort niedergelegten Grundprinzipien in Gesetze ist Aufgabe der islamischen Rechtswissenschaft.

Quellen der Scharia: Die Scharia ist der Glaubensweg, der den Menschen zu Gott als seiner Quelle führen soll. Der Koran gilt im Islam als erste Quelle der Scharia. An zweiter Stelle steht die Sunna, die Lebenspraxis des Propheten. Auf der Grundlage von Koran und Sunna schufen islamische Gelehrte Rechtssammlungen. Für neu auftauchende Fragen, auf die man im Koran keine explizite Antwort finden konnte, traten für die islamischen Gelehrten zwei weitere Quellen hinzu: „idschma" als Konsens der islamischen Gemeinschaft bzw. der Gelehrten und „qiyas", der Analogieschluss. Dabei wurden neu auftretende Fragen in Anlehnung an bekannte Fälle entschieden. Dadurch soll die Anpassung des islamischen Rechts an sich verändernde oder ganz neue Gegebenheiten gewährleistet werden. In diesem Zusammenhang spielen auch rationale Argumentationen eine wichtige Rolle. Allein an der ständigen Entwicklung der Scharia wird deutlich, dass sie kein starres Gebilde darstellt.

Innerhalb des Islam und der islamischen Länder hat sich auch eine unterschiedliche Rechtspraxis entwickelt. In einigen Ländern, z.B. in Ägypten, gilt die Scharia als „Hauptquelle der Gesetzgebung", in anderen Ländern (Sudan) wurde versucht, einzelne Rechtssätze des Korans eins zu eins in das heutige Recht zu übertragen. Im Verlauf des Modernisierungsprozesses seit Kemal Atatürk ist die Scharia in der Türkei außer Kraft gesetzt. In der Geschichte haben sich unterschiedliche Rechtsschulen mit regionaler Verbreitung herausgebildet und sind gleichermaßen in der islamischen Welt anerkannt. Sie sind jeweils nach ihrem Begründer benannt und in verschiedenen Regionen der islamischen Welt vorherrschend.

Rechtsschulen der sunnitischen Theologie

- Hanafitische Rechtsschule, mehrheitlich in der Türkei und Türkstaaten
- Schafiitische Rechtsschule, mehrheitlich in Ägypten
- Malikitische Rechtsschule, mehrheitlich in Nordafrika
- Hanbalitische Rechtsschule, mehrheitlich in Saudiarabien

Rechtsschulen schiitischer Theologie

- wie Dscha'fariten mehrheitlich in Iran, Irak und den Golfstaaten

Gebote und Verbote im Islam

- Rausch- und Suchtmittel, auch Alkohol müssen vermieden werden.
- Als Nahrungsmittel sind Schweinefleisch, Blutprodukte und verendete Tiere und das Fleisch sowie Produkte aus Fleisch von ungeschächteten Tieren untersagt.
- Sittsame und züchtige Kleidung von Mann und Frau und keine freizügige und aufreizende Kleidung ist vorgesehen.
- Glücksspiel, Wahrsagerei, Astrologie sind untersagt.
- Weibliche Beschneidung ist als Verstümmelung im Islam verboten.
- Zwangsehe, Blutrache, Wucherei, Mord, Raub, Terror, Selbstmord sind verboten.

Die Rechtsschulen weichen in vielen Einzelfragen des islamischen Rechts voneinander ab – in diesem Sinne gibt es also eine international unterschiedlich geprägte Scharia. In den Grundfragen sind sich diese Schulen jedoch einig. Die jeweils anderen Schulen werden auch als rechtgläubig anerkannt. Häufig wird auf den islamischen Grundsatz hingewiesen: „In der Vielfalt liegt die Gnade". In einzelnen Fragen sind unterschiedliche Antworten möglich. Daraus ergibt sich eine Dynamik, die auch für Diskussionen in Deutschland von Bedeutung ist.

Die Scharia und das Grundgesetz

Muslime in Deutschland kommen aus verschiedenen islamisch geprägten Ländern. Für sie alle gelten die Glaubensartikel und ethischen Regeln entsprechend den fünf Säulen des Islam. Bei Einzelfragen gibt es jedoch Unterschiede, die auch in Deutschland fortbestehen. Durch die zunehmende Zusammenarbeit der Muslime entwickeln sich Verhaltensweisen, die von den meisten Muslimen geteilt werden. So gibt es hierzulande

zum Beispiel eine intensive Diskussion über die Menschenrechte, die im Sinne des Islam sind und mit ihm vereinbar. Daher lehnen die meisten Muslime in Deutschland Praktiken ab, die in manchen Herkunftsländern Geltung haben und gegen Menschenrechte wie die Religionsfreiheit, die körperliche Unversehrtheit oder die Gleichberechtigung von Mann und Frau verstoßen. „Ehrenmorde“ oder „Zwangsheiraten“, die in bestimmten Regionen einiger Länder praktiziert werden, sind mit dem Islam nicht vereinbar und werden auch von den hier lebenden Muslime verurteilt.
Es ist für Muslime nach der auf den Koran gestützten Überzeugung selbstverständlich, das jeweilige Gesetz des Landes, in dem sie leben, zu befolgen.
Dazu zählen:

- **Die Religionsfreiheit** schließt das Recht in, die Religion zu wechseln, eine andere oder auch keine Religion zu haben. In Glaubensfragen wird vom Koran jede Gewaltausübung und jeder Zwang untersagt. Die Todesstrafe für Apostasie (d.h. Abfall vom Glauben) widerspricht der im Koran verankerten Glaubensfreiheit.
- **Die Gleichberechtigung von Mann und Frau.** Das Schlagen und Züchtigen von Männern, Frauen oder Kindern wird abgelehnt. Ebenso werden Beschneidungen von Mädchen und jungen Frauen verurteilt.
- **Das Gebot des Islamischen Rechts, die jeweilige lokale Rechtsordnung zu befolgen,** schließt die Anerkennung des deutschen Ehe-, Erb- und Prozessrechts ein.
- **Begrüßt wird das demokratische und säkulare System der Bundesrepublik Deutschland,** in dem Staat und Religion getrennt sind und in verschiedenen Bereichen (wie dem Religionsunterricht) eine Zusammenarbeit erfolgt.

Auch für Muslime gilt: Jede Art von Diskriminierung und die Missachtung der Menschenrechte ist überall und in jeder Form abzulehnen!

Fatwa – das Rechtsgutachten: Bei allen Fragen, die die Lebensführung des einzelnen Muslims oder auch allgemeine religiöse Fragen betreffen, können islamische Experten ein religiöses Rechtsgutachten abgeben. Dieses Gutachten kann auf Anfrage an die Rechtsgelehrten oder auch auf deren Initiative zustande kommen. Diejenigen, die eine Fatwa erstellen, müssen in der Regel durch ein Studium qualifiziert und in ihrer religiösen Kenntnis des Islam besonders ausgewiesen sein. Eine Fatwa hat keine Rechtsverbindlichkeit für die Allgemeinheit und bezieht sich in der Regel auf einen Einzelfall einer Gemeinde oder einer einzelnen Person.

In Deutschland lebende Muslime beachten das Recht des Landes. Diese Beachtung des Rechtes verlangt auch der Islam von Muslimen, wenn ihnen in diesen Ländern gestattet wird, ihre religiösen Grundpflichten Gott gegenüber zu erfüllen.

Frau und Mann: Rollenverständnis in den Religionen

Auskunft geben: Muslime und Christen sollten über ihren Glauben sprechen können.

Die Heiligen Schriften der Juden, Christen und Muslime sehen Mann und Frau in gleicher Würde als Geschöpfe Gottes. Nach jüdisch-christlichem Verständnis sind beide in gleicher Weise Ebenbild Gottes. In der Bibel, im Alten Testament heißt es:

„Dann sprach Gott: Lasst uns Menschen machen als unser Abbild, uns ähnlich. Sie sollen herrschen über die Vögel des Himmels, über das Vieh, über die ganze Erde und über alle Kriechtiere auf dem Land. Gott schuf also den Menschen als sein Abbild; als Abbild Gottes schuf er ihn. Als Mann und Frau schuf er sie.“ (*Bibel: 1. Buch Mose, Genesis 1,26 f.*)

Der Koran sieht Mann und Frau nicht als Abbild Gottes, sondern als seine Sachwalter auf Erden. Auch kommt aus Sicht des Korans Mann und Frau die gleiche Würde zu. Frau und Mann sind vor Gott gleich. „O ihr Menschen, fürchtet euren Herrn, der euch aus einem einzigen Wesen erschuf; aus ihm seine Gattin erschuf und aus ihnen beiden viele Männer und Frauen erstehen und sich ausbreiten ließ ...“ (*Koran 4,1*)

Auch wenn Mann und Frau in gleicher Weise Würde zugesprochen wird, so ist doch das Verständnis der Rollen von Frau und Mann und ihre Rechtsstellung in der Gesellschaft unterschiedlich. Die gesellschaftlichen Verhältnisse der Zeit spiegeln sich in den Heiligen Schriften wider.

Die Stellung der Frau im Islam

Sowohl das Tragen eines Kopftuchs bzw. Schleiers als auch die Rollenverteilung in der muslimischen Familie lassen in vielen Köpfen ein Bild der Unterdrückung und Benachteiligung entstehen. Im Koran ist nachzulesen, dass Frauen und Männer vor Gott gleich sind und den gleichen Stellenwert in der Gesellschaft besitzen, da beide von einem Wesen abstammen. Ihre Rechte und Pflichten im Alltag variieren jedoch gemäß ihrer natürlichen Veranlagungen, so das muslimische Verständnis. Diese Aussage ist für viele scheinbar nicht mit der Moderne vereinbar.
Im Koran jedoch ist klargestellt, dass auch im Jenseits Mann und Frau für ihre Taten gleichermaßen verantwortlich sind. Dazu heißt es: „Ich lasse keine Tat verloren gehen, die einer von euch getan hat, ob Mann oder Frau.“ (*Koran 3,195*)
Die Wichtigkeit der Bildung für beide Geschlechter unterstreicht eine Aussage des Propheten Muhammed: „Das Streben nach Wissen ist eine Pflicht für jeden Muslim, Mann oder Frau.“ Genauso wie ein Mann soll auch eine Frau Wissen und Bildung erwerben und diese zugunsten der Gesellschaft weitergeben.

Grundsätzlich ist der Mann verpflichtet, für den Unterhalt und den Schutz der gesamten Familie zu sorgen. In erster Linie ist die Frau für die Kinder da; sie ist für den Frieden, die Erziehung und für den Zusammenhalt in der Familie die tragende Säule – eine Aufgabe, die ihr in der islamischen Gesellschaft hohen Respekt verschafft. Selbstverständlich dürfen sich Frauen in der Wahl ihrer Ehemänner frei entscheiden – und sie dürfen nicht gezwungen werden zu heiraten. Aus religiöser Sicht hat die Frau die Freiheit der Wahl. Muhammed ließ die Zwangsheirat nicht zu. Die Empfehlung zu heiraten, geht sowohl an die Adresse der Frau als auch an die des Mannes, genauso das Verbot der Zwangsverheiratung.

Muslime haben ein Eherecht eingeführt, das die Frauen durch einen Ehevertrag im Scheidungsfall finanziell absichert. Ihnen wird, entgegen vorhergehender Praxis, Erbe und Besitz zuerkannt. Nach islamischem Recht ist eine Frau nicht verpflichtet, ihr Vermögen zum Familienunterhalt beizusteuern. Sie hat ein Anrecht auf den Besitz ihres Ehemannes, aber nicht umgekehrt!

Das Kopftuch: Für zahlreiche Nichtmuslime ist der Sinn des Kopftuchs einer Muslima unverständlich. Nicht zuletzt aufgrund des großen Medien-Echos fragen mittlerweile viele Menschen nach den Motiven, aus denen muslimische Frauen und Mädchen ihre Haare verhüllen. Manche selbsternannten „Experten“ wollen darin ein sicheres Indiz für radikale politische Positionen oder religiös-fundamentalistisches Gedankengut erkennen. Tatsächlich sind die Gründe für das Tragen des Kopftuches so unterschiedlich wie ihre Trägerinnen selbst. Sie reichen von tief religiösen Entscheidungen über den Wunsch, ein religiöses Bekenntnis auch nach

Nicht nur bei Muslimen gibt es unterschiedliche Rollenvorstellungen von Mann und Frau.

Dieses Haus steht in Hamm/Westfahlen und wirbt für eine gute Nachbarschaft von Menschen mit verschiedener Herkunft, Kultur, Religion. Mehr über dieses Haus: www.dialogbereit.de.

außen zu dokumentieren bis hin zur bloßen Hinnahme, weil die Familie auf bestimmten Kleidungsvorschriften besteht.

Grundsätzlich gibt das Kopftuch noch keinerlei Auskunft über die damit verbundenen Haltungen seiner Trägerin. Nachfragen ist möglich, aber das respektvolle Interesse wird keinen Rechtfertigungsgrund erzeugen. Besonders gegenüber jüngeren Mädchen verbietet es der Respekt, etwa zum Abnehmen des Kopftuchs zu ermuntern, „wenn die Familie es nicht sieht".

Grundsätzlich gibt es sowohl für Männer als auch für Frauen Bekleidungsvorschriften. Beide sollen in der Öffentlichkeit bescheiden auftreten und nicht durch ihr Äußeres Aufmerksamkeit erregen. Im Koran heißt es dazu: „Sprich zu den gläubigen Männern, sie sollen ihre Blicke senken und ihre Scham bewahren. Das ist lauterer für sie. Gott hat Kenntnis von dem, was sie machen recht wohl kundig. Und sprich zu den gläubigen Frauen, sie sollen ihre Blicke senken und ihre Scham bewahren, ihren Schmuck nicht offen zeigen, mit Ausnahme dessen, was sonst sichtbar ist. Sie sollen ihren Schleier auf den Kleiderausschnitt schlagen…“ (*Koran 24,30–31*)

Zahlreiche Aussagen des Propheten Muhammed verdeutlichen, was unter „Schmuck“ zu verstehen ist: Außer dem Gesicht, den Händen und Füßen ist der ganze Körper gemeint. Somit bedeckt eine muslimische Frau ihren Körper aufgrund der Offenbarung und nicht aus politischen oder ideologischen Gründen.

Frieden und Gerechtigkeit

Die Gestaltung einer friedlichen und gerechten Gesellschaft ist Aufgabe aller gesellschaftlichen Gruppen. Parteien und Gewerkschaften, Bürgerinitiativen und Verbände stellen sich dieser Aufgabe.

Der Einsatz für Frieden und Gerechtigkeit gilt als eine ethische Verpflichtung, die alle Religionen kennen. Die Heiligen Schriften aller Religionen motivieren zum Einsatz für den Frieden. Hass und Gewalt bedrohen alle Mitglieder einer Gesellschaft. Umweltzerstörung vernichtet die Lebensgrundlage von religiösen und nichtreligiösen Menschen, von Christen, von Muslimen und von Atheisten in gleicher Weise. Das Engagement für Frieden und Gerechtigkeit kann Menschen unterschiedlicher religiöser und weltanschaulicher Überzeugung vereinen.

Der Dialog im Alltag fragt nicht zuerst nach der Glaubenslehre, sondern nach der Lebenspraxis. Menschen unterschiedlicher religiöser und weltanschaulicher Überzeugung können zur Förderung der Lebensqualität, des Friedens und der Gerechtigkeit zusammenarbeiten. In ihrer Praxis wird auch ihr Glaube deutlich werden.

Die große Herausforderung, vor der Menschen heute stehen, ist die Gewalt – die alltägliche Gewalt in den Städten und Ortschaften und zwischen Völkern und Volksgruppen. Religionen dürfen sich nicht instrumentalisieren lassen in der Anwendung von Gewalt oder gar selbst zu Gewalt aufrufen oder beitragen. Ihre

Aufgabe muss es sein, einen Beitrag zur Überwindung von Hass und Gewalt zu leisten.

Die Friedensethik des Islam und Dschihad: Der Gottesglaube verpflichtet Muslime zu einer Friedensethik. Oft wird Dschihad unsachgemäß mit „Heiliger Krieg“ übersetzt. Dschihad bezeichnet primär den inneren alltäglichen Kampf eines Gläubigen. Es ist das innere Bemühen, ein frommer, dienender und wohltätiger Muslim zu werden. Wer im spirituellen Dschihad lebt, sucht Frieden durch die persönliche Ergebung in Gott und die Bindung an seine Führung mit allen Geschöpfen Gottes. Kriegerische Auseinandersetzungen hingegen sind soweit wie möglich zu verhindern. Sollte es doch dazu kommen, so sind sie strengen Reglementierungen unterworfen. Der Prophet Muhammed legte den muslimischen Gläubigen für jede Zeit ans Herz, selbst im Falle eines Krieges die Zivilbevölkerung sowie deren Gottes- und Gebetshäuser und deren Hab und Gut nicht anzutasten. Er hat Massaker und Misshandlungen ausdrücklich verboten. Auf dieser Grundlage verurteilen die Muslime in Deutschland den Terrorismus und lehnen die Instrumentalisierung ihrer Religion zur Gewalt ab.

Der Begriff Dschihad bedeutet wörtlich Anstrengung, Mühe und Einsatz und findet sich bereits in der ersten mekkanischen Offenbarung. In jener Zeit war das Thema Krieg für die junge muslimische Gemeinde noch nicht aktuell. Ausgehend von dieser Grundbedeutung bezeichnet Dschihad in Medina – ungefähr ab dem zweiten Jahr nach der Auswanderung – den Einsatz für den Islam schlechthin, mit der Betonung auf den Einsatz von Vermögen und Leben.

Entsprechend wird Dschihad im Koran nicht auf konkrete Schlachten bezogen, wohl aber bisweilen auf den kämpferischen Einsatz, der auch in einer Schlacht stattfinden kann, aber nicht notwendigerweise bewaffnet geführt werden muss.

Es widerspricht dem koranischen Geist, Dschihad als „Heiligen Krieg“ zu bezeichnen. Auch ein Verteidigungskrieg ist im Sinne der islamischen Gemeinschaft nicht heilig zu nennen. Krieg ist niemals heilig. Selbst ein Verteidigungskrieg stellt aus islamischer Sicht ein notwendiges Übel dar.

Gemeinsame Verpflichtung für den Frieden

Beim Abschluss des Gebetstreffens in Assisi für den Frieden in der Welt im Januar 2002 gaben die Vertreter der Weltreligionen eine „Gemeinsame Erklärung" ab. Darin wurde u. a. gesagt:

Rev. Dr. Konrad Raiser (Ökumenischer Rat der Kirchen)
Wir verpflichten uns, unsere feste Überzeugung kundzutun, dass Gewalt und Terrorismus dem authentischen Geist der Religion widersprechen. Indem wir jede Gewaltanwendung und den Krieg im Namen Gottes oder der Religion verurteilen, verpflichten wir uns, alles Mögliche zu tun, um die Ursachen des Terrorismus zu beseitigen.

Scheich Abdel Salam Abushuk (Islam)
Wir verpflichten uns zum aufrichtigen und geduldigen Dialog, indem wir nicht darauf achten, was uns wie eine unüberwindbare Mauer trennt, sondern im Gegenteil erkennen, dass die Begegnung mit dem, was uns von anderen Menschen unterscheidet, zu einem besseren gegenseitigen Verständnis beitragen kann.

Hojjatoleslam Ghomi (Islam)
Wir verpflichten uns, uns den Ruf all jener zu Eigen zu machen, die nicht vor der Gewalt und dem Bösen resignieren. Wir wollen mit all unseren Kräften dazu beitragen, der Menschheit unserer Zeit eine wirkliche Hoffnung auf Gerechtigkeit und Frieden zu geben.

Papst Johannes Paul II. (Katholische Kirche)
Nie wieder Gewalt! Nie wieder Krieg! Nie wieder Terrorismus! Im Namen Gottes bringe jede Religion der Welt Gerechtigkeit und Frieden, Vergebung und Leben, Liebe!

Neugierig geworden? – Infos, Arbeitshilfen und Nachschlagewerke

Wer mehr über Islam und Christentum wissen möchte, findet eine Reihe brauchbarer Nachschlagewerke und gut aufbereiteter Informationen. Zu klären ist zunächst: Wofür benötige ich weitere Informationen? Habe ich ein allgemeines Interesse am Thema oder brauche ich Arbeitshilfen für die Schule, für die Erwachsenenbildung oder Gemeindearbeit? Die Fülle der Materialien ist groß.

Wir als die Autoren dieser vorliegenden Publikation geben gerne weitere Tipps.

Bekir Alboğa, E-Mail: alboga@ditib.de
Georg Bienemann, E-Mail:
thema-jugend@t-online.de
Werner Höbsch, E-Mail:
werner.hoebsch@erzbistum-koeln.de

Ergänzend zu dieser Publikation sei verwiesen auf: www.dialogbereit.de

Die Heiligen Schriften der Christen und Muslime

Um den Glauben einer Gemeinschaft tiefer zu verstehen, ist es wichtig, Texte der Heiligen Schriften dieser Gemeinschaft zu kennen, angegebene Schriftzitate nachlesen zu können und sich im größeren Zusammenhang damit auseinander zu setzen.

Die Heilige Schrift der Christen:
Einheitsübersetzung der Bibel (Altes und Neues Testament). Verlag Herder, ISBN 3-451-28000-0, Freiburg 2006 (8. Aufl.).

Die Heilige Schrift der Muslime:

- Der Koran. Aus dem Arabischen übersetzt von Max Henning, Reclam-Ausgabe, ISBN 3-15-004206-2, Stuttgart 2005.
- Der Koran. Übersetzung von Adel Theodor Khoury unter Mitwirkung von Muhammad Salim Abdullah. ISBN 3-579-00783-1 (Taschenbuch), ISBN 3-579-02154-0 (gebun-

dene Ausgabe), Gütersloh 2001 (3. durchgesehene Ausgabe).

- Der Koran, erschlossen und kommentiert von Adel Theodor Khoury. Patmos-Verlag, ISBN 3-491-72485-6, Düsseldorf 2006 (2. Aufl.).
  Ein aufwendig und schön gemachtes Buch mit vielen Erklärungen zum Verständnis. Diese fundierte Koranerschließung sei denen empfohlen, die sich intensiv mit dem Koran und Islam auseinander setzen wollen.

Theologische Klärungshilfen

Zahlreiche Bücher stehen als theologische Nachschlagewerke und Klärungshilfen zur Verfügung. Aus der großen Fülle empfehlen wir einige wenige Veröffentlichungen vor allem den neugierig gewordenen Lesern und Leserinnen:

- Monika Tworuschka, Grundwissen Islam – Religion, Politik, Gesellschaft, Aschendorff-Verlag, ISBN 3-402-03424-7, Münster 2003. In diesem Buch werden Entstehung und Geschichte, Glaubensgrundlagen und religiöse Praxis des Islam allgemein verständlich dargestellt.
- Christian W. Troll, Muslime fragen, Christen antworten, Topus plus Verlagsgemeinschaft, ISBN 3-7867-8489-2, Regensburg/Kevelaer 2004 (2. Aufl.).
  In diesem Band werden wichtige Fragen aus Sicht der christlichen Theologie und aus Erfahrungen des Dialogs mit Muslimen beantwortet. Eine sehr gute Orientierungshilfe zur persönlichen Klärung und für das gemeinsame Gespräch.
- Kleines Islam-Lexikon. Geschichte Alltag, Kultur, Hrsg. von Ralf Elger unter Mitarbeit von Friederike Stolleis, Verlag C.H.Beck, ISBN -10:3-406-54533-5, München 2006 (4. Aufl.). Dieses Lexikon erklärt in über 400 Artikeln knapp und fundiert die zentralen Begriffe der islamischen Kulturgeschichte von den Anfängen bis heute.
- Ulrich Lüke, Kursbuch Kirchenjahr, Leben im Rhythmus des Glaubens, Aschendorff-Verlag, ISBN 3-402-00411-9, Münster 2006. In diesem Buch wird das Kirchenjahr mit seinen zentralen Festen (aus Sicht eines katholischen Theologen) in einer „frechen und frommen" Sprache (neu) reflektiert.
- Andreas Renz, Stephan Leimgruber, Christen und Muslime – Was sie verbindet, was sie unterscheidet, Kösel-Verlag, ISBN 3-466-36647-X, München 2005 (2. Aufl.). Ein umfangreiches und informat ves Werk zum Dialog von Christen und Muslimen. Und es geht um die Entdeckung von Ähnlichkeiten und Parallelen von Christentum und Islam, um Zusammenhänge wie auch um Unterschiede.

Arbeitsmaterial für Schule sowie für Jugend- und Erwachsenenbildung:

- Die Bundeszentrale für politische Bildung gibt umfangreiches Material zum Thema **Islam** (Arbeitsmappen, insgesamt 10 Module) heraus. Welche Mappen (Module) derzeit vorliegen, kann bei der Bundeszentrale in Erfahrung gebracht werden: Bundeszentrale für politische Bildung/bpb, Adenauerallee 86, 53113 Bonn, Telefon: (01888) 515-0, Telefax: (01888) 515-113, E-Mail: info@bpb.de, www.bpb.de. Das gesamte didaktisch aufbereitete Unterrichts- und Informationsmaterial zum Thema Islam ist eine Loseblattsammlung mit ca. 1.000 Seiten in 10 Modulen. Das Material gibt es auch auf CD-ROM (alle bisher veröffentlichten Module als PDF-Datei).

- Vera Krause, Salam! Der Islam in der Grundschule – Lern-Bausteine für Regelunterricht und Freiarbeit in der Klasse 3 und 4 (als Material für Lehrerinnen und Lehrer), Auer Verlag, ISBN 3-403-03728-2, Donauwörth 2003. Das reichlich Illustrierte Material ermöglicht Kindern im Grundschulalter sich mit Grundlagen über die Glaubens- und Lebenswirklichkeit des Islam auseinander zu setzen.
- Stefan Weidner, Allah heißt Gott, Eine Reise durch den Islam. Fischer Taschenbuchverlag, ISBN 978-3-596-82212-3, Frankfurt am Main 2006. Ein schön bebildertes Vorlesebuch, das von der Situation der Kinder ausgeht. Es wird spannend und anschaulich über den Islam geschrieben. Der Autor erzählt von der Entstehung der Religion, erklärt, was man in einer Koranschule lernt, stellt auch Konflikte und Ängste dar und vermittelt Kindern die Faszination dieser fremden Glaubenswelt.
- Bianca Tischler, Einführung in den Islam – Eine Unterrichtsreihe für die Jahrgangsstufen 5 bis 7 (ebenfalls Material für Lehrerinnen und Lehrer), Auer-Verlag, ISBN 3-403-03742-8, Donauwörth 2003. In drei Themensequenzen („Mohammed und der Koran", „Kirche und Moschee" und „Die fünf Säulen des Islam") wird eine schülernahe Einführung in den Islam gegeben.
- Werner Trutwin, Islam (Reihe Die Weltreligionen). Patmos-Verlag, ISBN 3-491-75633-2, Düsseldorf 1988 (überarb. 1997). Ein Arbeitsbuch für die Sekundarstufe II (Religion, Philosophie, Ethik).
- Christine Moorcroft, Religionen kennen lernen: Islam. Verlag an der Ruhr, ISBN 3-86072-338-3, Mülheim an der Ruhr 1998 (engl. Originalausgabe 1995). Das Material dieser Arbeitsmappe bietet Anregungen für Lehrer und Lehrerinnen, jeweils eine thematische Ideenseite. (Themen sind z.B. Gebet, Eltern, Moschee, Koran, Ramadan.) Entsprechend zu jedem Thema eine Seite für die Schüler und Schülerinnen (als Kopiervorlage). Praktisch gemacht! Dieses gut ausgearbeitete Material eignet sich vor allem für den Religionsunterricht mit 10- bis 12-jährigen Kindern.
- Michael Keem, Was Weltreligionen zu Alltagsthemen sagen. Verlag an der Ruhr, ISBN 3-86072-989-6, Mülheim an der Ruhr 2005 (engl. Originalausgabe 2002). Religionen prägen das Weltbild. Aber aus Unwissenheit entstehen oft Vorurteile und Intoleranz. Wer mehr über andere Glaubensrichtungen weiß, kann Fremdes besser verstehen.
- Vielseitig einsetzbar innerhalb der Bildungs- und Jugendarbeit ist das folgende Video: Jung und Moslem in Deutschland (mehrere Teile). Eine Dokumentationsreihe von jungen Muslimen, über junge Muslime, ihren Glauben und ihr Leben. – Zu beziehen: Medienprojekt Wuppertal e.V., Hofaue 59, 42103 Wuppertal (www.medienprojekt-wuppertal.de).

Interkulturelles Lernen

- Dietmar Böhm, Regine Böhm, Birgit Deiss-Niethamer, Handbuch Interkulturelles Lernen – Theorie und Praxis für die Arbeit in Kindertageseinrichtungen. Verlag Herder, ISBN 3-451-27001-3, Freiburg 2004 (3. Aufl.). Dieses Buch ist ein sehr fundiertes Nachschlagewerk und leistet einen wichtigen Beitrag zu diesem akutellen Thema der Sozialpädagogik.
- Stephan Leimgruber, Interreligiöses Lernen. Kösel Verlag, ISBN 978-3-466-36748-1, München 2007 (Neuauflage). Das Handbuch beschreibt Wege, wie unterschiedliche Menschen, Kulturen und Religionen in gegenseitigem Respekt zusammenleben können. Was können sie voneinander lernen? Es geht um den Dialog zwischen Christen und den anderen Weltreligionen: Judentum, Islam, Hinduismus und Buddhismus.
- Matthias Hugoth, Fremde Religionen – fremde Kinder? Leitfaden für die interreligiöse Erziehung, Verlag Herder, ISBN 3-451-28081-1, Freiburg 2003. Dieser für die frühkindliche Pädagogik bestimmte Leitfaden zeigt auf, was unter interreligiöser Erziehung in einer multikulturellen Gesellschaft zu verstehen ist und bringt konkrete Anregungen.
- Medi Kuhlmann, Wir sind dabei! Interkulturelles Lernen in der Kindertagesstätte. Zu beziehen: Aktion Kinder- und Jugendschutz, Landesarbeitsstelle Schleswig-Holstein, Schauenburger Str. 36, 24105 Kiel (www.akjs-sh.de). Diese Arbeitshilfe beschreibt Projekteinheiten, die in Kindertagesstätten erprobt wurden und bietet exemplarisch Ideen und Anregungen für den Alltag mit den Kindern an. Theorie- und Praxisteil verknüpfen Interkulturelles Lernen, Sprachförderung und Vorurteilsforschung.
- Medi Kuhlmann, Chancen nutzen! Interkulturelle Erziehung und Bildung in der Grundschule. Zu beziehen: siehe voranstehende Anschrift. Die Publikation will Anregungen, Impulse und Unterstützung für die tägliche pädagogische Arbeit geben. Lehrer/innen werden eingeladen, ihren Blick auf die Chancen zu richten.
- Bundeszentrale für politische Bildung, Interkulturelles Lernen – Arbeitshilfe für die politische Bildung. Das umfangreiche Werk richtet sich an alle in der Bildungsarbeit tätigen Fachkräfte. – Anfragen zwecks Bestellkonditionen bei der Bundeszentrale für politische Bildung/bpb, Adenauerallee 86, 53113 Bonn, Telefon: (01888) 515-0, Telefax: (01888) 515-113, E-Mail: info@bpb.de, www.bpb.de. ISBN 3-89331-361-1, Bonn 2000 (Neudruck).

Diese Arbeitshilfen- und Materialübersicht ist auch im Internet zu finden, hier mit Seiten-, Format-, Gestaltungs- und Preisangaben: www.dialogbereit.de

Kleines Lexikon von A – Z

Abendmahl: Das Sakrament des Abendmahls (auch Eucharistie oder Heilige Messe) erinnert an das letzte Mahl, das Jesus mit seinen Jüngern begangen hat. Da es kein einheitliches Abendmahlsverständnis unter den christlichen

Kirchen gibt, ist diese zentrale Gottesdienstfeier auch immer noch Ausdruck der Trennung. → 43/85/124

Abraham/Ibrahim ist der Stammvater Israels und der Araber. Auf ihn beziehen sich auch Christen und Muslime. → 82

Allah (arab.) heißt übersetzt Gott. Muslime und auch arabisch sprechende Christen nennen Gott Allah. → 59

Aleviten sind eine aus dem 14./15. Jh. stammende mystische Gemeinschaft, die in Ostanatolien zu Hause war. Aleviten sind ursprünglich aus dem schiitischen Islam hervorgegangen und orientieren sich in ihrer inneren Ausrichtung am in Anatolien geprägten mystischen Bektaschi-Derwischorden. Die Entstehungsgeschichte der Aleviten ist nach Expertenmeinung nur zu verstehen, wenn berücksichtigt wird, dass sie ihre Wurzeln im zentralasiatischen-anatolischen Synkretismus haben. (Synkretismus meint die Vermischung religiöser Lehren und Traditionen.) Die Mehrheit befolgt die fünf religiösen Grundpflichten der islamischen Scharia nicht und hat ein anderes Verständnis der Koran-Interpretation. Ein weiteres bedeutendes Unterscheidungsmerkmal: Es werden keine Moscheen betrieben mit dem Angebot von Korankursen, sondern vielmehr Versammlungshäuser für spirituelle Tanzzeremonien und Kulturstätten mit dem Namen cem evi. In ihrem Glaubensbekenntnis kommt neben Muhammed auch Ali als Freund des Propheten vor. Sie haben ein Wertesystem der „vier Tore und 40 Stufen", das zur Reifung und Vollkommenheit anleitet. – Aleviten lebten ihren Glauben lange im Verborgenen, da sie als Sekte verfolgt wurden. Zu beobachten war der Zerfall alevitischer Strukturen; hier ist nun eine Veränderung zum Positiven festzustellen: Die alevitische Gemeinschaft erholt sich allmählich von der Unterdrückung. Sie tritt in Europa, aber auch in der Türkei mit größerem Selbstbewusstsein auf und fordert mehr öffentliche und politische Anerkennung → 28

Bibel: Das Heilige Buch der Christen besteht aus dem Alten und Neuen Testament. Der ältere Teil der Bibel, als „Altes Testament", „Erstes Testament" oder „Hebräische Bibel" bezeichnet, verbindet die Christen mit den Juden. Die Tora, die dem Mose und damit dem Volk Israel am Sinai von Gott übermittelte Offenbarung, ist Bestandteil der christlichen Bibel. Die gesamte Bibel gilt für Christen als Offenbarung. Sie bezeugt Gottes Weg mit den Menschen und besonders im Alten Testament mit Israel. Kernstück des Neuen Testamentes (entstanden in den Jahrzehnten nach dem irdischen Leben Jesu) sind die Evangelien, die als „Frohe Botschaft“ bezeichnet werden. Jesus Christus als Sohn Gottes wird in seiner Menschlichkeit und Göttlichkeit bezeugt. Für Christen ist er der Weg, die Wahrheit und das Leben. → 66

Dreieinigkeit (lat. Trinität): Gottesvorstellung der Christen, die den Einen Gott in „drei Personen“ erkennen und verehren. Er ist der Vater, der Schöpfer und Allmächtige. Er ist der Sohn, Mensch geworden in Jesus und so allen Menschen nahe und der Heilige Geist, der Leben und Hoffnung entfacht. Die Rede von der „Dreifaltigkeit“ gründet im Glauben, dass Gott nicht nur Liebe bewirkt, sondern in sich selbst Liebe und Beziehung lebt.
Die christliche Lehre von der Dreieinigkeit (oder auch Dreifaltigkeit) ist monotheistisch zu verstehen: Auch Christen glauben an den Einen Gott. → 56/62

Dschihad heißt „Anstrengung“ und bezeichnet den Einsatz für die Sache Gottes bzw. für den Islam. Die Mehrheit der islamischen Theologen sowie die muslimischen Mystiker verstehen darunter den (inneren) Kampf gegen die eigenen schlechten Neigungen. Der Begriff erfährt eine militärische Bedeutung, wenn zum Schutz des Islam ein Verteidigungskrieg unerlässlich erscheint. Die Verteidigung des Glaubens und der Religion, des Lebens, des Hab und Gutes, der Familie und der Nachkommenschaft sowie der Ratio (Vernunft/Verstand) der muslimischen Gläubigen, wird als Dienst vor Gott und als eine religiöse Pflicht verstanden. Allerdings ist der Begriff Dschihad nicht gleichbedeutend mit „Krieg“ oder „Heiliger Krieg“. → 110

Engel (griech. angelos: Bote): In unterschiedlichen religiösen Traditionen werden Engel als die guten Mächte und als Boten und Mittler zwischen Gott und den Menschen angesehen. (Im Islam werden sie nur als friedliche, gehorsame Wesen aus dem Licht verstanden.) – Sie sind als Diener Gottes der Gottheit untergeordnet und werden als geistige Wesen betrachtet. Einerseits gelten sie nicht als völlig körperlos, sondern sollen einen Leib aus Licht oder Äther oder einen Feuerleib haben. Unter den Engeln wird eine hierarchische Ordnung angenommen, an deren Spitze Erzengel stehen. Als gefallene Engel gelten im Christentum die widergöttlichen Mächte der Dämonen. – Im Koran und in der Bibel ist immer wieder von Engeln zu lesen. Nach islamischer Überzeugung sind die Engel aus Licht erschaffen, der Teufel aus Feuer und die Menschen aus der Erde. Die Engel sind gehorsame Diener und Boten Gottes.

In der heutigen neuen religiösen Szene, vor allem der Esoterik, werden Engel häufig mit Schutzgeistern gleichgesetzt, zu denen Kontakt aufgenommen werden kann. Man spricht auch von so genannten Lichtwesen. → 59/90f./97

Fastenzeit: Sie wird in der christlichen Tradition auch „österliche Bußzeit" genannt und ist die Vorbereitungszeit der Christen auf Ostern. Die Fastenzeit beginnt Aschermittwoch und endet nach 40 Tagen mit dem Osterfest. (Islamische Fastenzeit: siehe Ramadan) → 60/64/85

Freitag ist für Muslime der Tag des Gebetes und der Versammlung. Die Muslime versammeln sich in der Moschee, um das Freitagsgebet unter Leitung eines Vorbeters – eines Imams – gemeinsam zu vollziehen. Zum Freitagsgebet gehört immer auch eine Predigt, die theologische Fragen, aber auch alltägliche oder gesellschaftliche Probleme erörtern kann. → 77

Glaubensbekenntnis: Im Glaubensbekenntnis der Muslime und im Glaubensbekenntnis der Christen wird der Glaube an den Einen Gott ausgedrückt. Zur gläubigen inneren Haltung der Muslime gehören die Ergebenheit und das Vertrauen zu Gott. – „Ich glaube an Gott" meint: Ich vertraue Gott. – Glaube gehört wesentlich zu jeder Religion. Für Christen gilt: Glaube ist das Vertrauen, dass Gott Menschen in jeder Lebenslage die Treue hält und Halt gibt. Alle christlichen Kirchen vereint der Glaube, dass Gott in Jesus Christus Mensch wurde, dass er für die Menschen gelebt hat und gekreuzigt wurde, am dritten Tage aber auferweckt wurde von den Toten. Darauf gründet sich für Christen der Glaube an die Auferstehung aller Verstorbenen. – Das Glaubensbekenntnis der Muslime lautet: „Es gibt keine Gottheit außer Gott, und Muhammed ist sein Gesandter." → 59/62

Gebet: Die gläubige Zuwendung zu Gott und auch (vor allem für Muslime) die Haltung der Niederwerfung können als wichtige Merkmale des Gebetes genannt werden. Es ist die Ansprache eines persönlichen Gottes, von dem Heil erwartet und der als Ursprung des Lebens angenommen wird. Das Gebet ist also Ausdruck des Glaubens der Muslime und der Christen. Gebete können Dank, Bitte, Klage und Verehrung zum Inhalt haben. – Das Pflichtgebet stellt die grundlegende Säule unter den fünf Säulen (Grundpflichten) des Islam dar. Fünfmal täglich sind Muslime zum Gebet, der spirituellen Himmelfahrt der Seele zur Gegenwart Gottes, gerufen. Nach Aussage des Propheten Muhammed ist die beste Form des Gedenkens an Gott die Aussage und deren ständige Wiederholung „La ilaha illallah" („Es gibt keinen Gott außer Gott"); die beste Form des Bittgebetes ist „Alhamdulillah" („Lob sei Gott"). – Das zentrale Gebet der Christen ist das „Vater unser", das sie von Jesus erhalten haben. Beten ist nur dann wirklich möglich, wenn es aus dem Glauben heraus geschieht.

Gott (arab. ilah) und der Eine Gott Allah (lat. „deus", griech. „theos" und dt. „Gott"): Im Alten Testament wird Gott mit dem Namen als YHWH (aus Ehrfurcht sprechen Juden den Namen Gottes nicht aus) bezeichnet. In den unterschiedlichen Religionen gibt es viele Namen für die höchste „Person" oder das höchste „Prinzip". Juden, Christen und Muslime glauben an den Einen Gott. Er ist der absolut Erhabene und Große, Schöpfer, Herrscher über Werden und Vergehen. Allahu akbar – Gott ist nach Auffassung der Christen und Muslime überaus groß. Gott ist ewig und unendlich. Er wird in seiner Gerechtigkeit als Richter beim Jüngsten Gericht verstanden. Gleichzeitig ist er auch der Barmherzige, der das Heil aller Menschen möchte. – Gott hat sich offenbart in den Heiligen Schriften. Für Christen ist die Bibel das Wort Gottes, für Muslime ist der edle Koran die letztgültige Offenbarungsschrift. Der Koran ist das Buch und Wort Gottes. Für den Islam gilt: Gott offenbart sein Wort und seinen Willen in heiligen Schriften, jedoch im Diesseits nicht sich selbst.

Mehr über Gott zu erfahren, seine Offenbarung zu verstehen, das war und ist zu allen Zeiten Bestreben der Menschen (Theologie). Die Hinwendung zu Gott als den Unfassbaren wird Glaube genannt. Ausdruck des Glaubens an Gott ist das Gebet und das Bemühen um ein gutes (gottgefälliges) Leben in der Achtung zu allen Mitgeschöpfen und dem Respekt vor dem Leben schlechthin. → 56

Hadith bezeichnet zunächst eine Aussage bzw. einen Ausspruch des Propheten Muhammed, der in den Werken der Hadith-Sammlungen als Aussprüche, Anordnungen und Lebensweisen des Propheten festgehalten ist. Gesammelt wurden diese Berichte von den Gefährten des Propheten. – In weiterem Umfang gehören zu den Sammlungen auch die Berichte über die Gefährten des Propheten. Es gibt eine eigene Hadith-Wissenschaft. Die Hadithe sind die zweitwichtigste Quelle des Islam nach dem Koran. Die Bezeichnung Hadith wird meist gleichbedeutend mit der Bezeichnung Sunna benutzt (*siehe Sunna*).

Himmel: Umschreibung für das ewige Leben, die Erfahrung bei Gott zu sein und Ort der Errettung. Auch als Paradies bezeichnet. → 90/93/98

Hoca: (türkisch, zu lesen: Hodscha), so bezeichnen türkischstämmige Muslime den Imam. → 51

Hölle: Nach dem Koran und der Bibel ist die Hölle ein Ort des Feuers und der Schmerzen. In volkstümlichen Darstellungen wird sie mit schrecklichen Bildern ausgemalt. Nach dem Jüngsten Gericht folgt die Bestrafung der Sünder (und die Belohnung der Frommen). – Die Hölle ist (laut Bibel) das ewige Scheitern des Menschen, da er sich geweigert hat, Gott anzuerkennen und nicht bereit war, sich um ein gutes gerechtes Leben zu bemühen. → 91

Hospizbewegung → 90

Imam: der Vorbeter (Vorsteher) beim Gebet in der Moschee. → 51

Islam meint in seiner Wortbedeutung u. a. Hingabe an Gott und Ergebung in Gott, in der der Mensch seinen Frieden und seine Glückseligkeit findet. Der Begriff ist verwandt mit dem arab. Wort für Frieden (salam). Der Islam ist eine der großen Offenbarungsreligionen. Nach islamischer Auffassung existiert der Islam schon von der Schöpfung der Menschen an, da es immer schon Menschen gab, die sich Gott ergeben haben. Nach biblischer Auffassung hat sich Gott den Menschen immer wieder offenbart (durch die biblischen Propheten). Unverfälscht sind nach Auffassung des Islam die offenbarten Worte Gottes im Koran enthalten, als der (nach dem Islam) letztgültigen Offenbarung.

Katholisch (griech.) heißt „allgemein". Katholische Kirche meint in einem weiten Sinne die „weltumfassende" Kirche der Christen, die sich auf Jesus Christus gründet. Neben der „Römisch-Katholischen Kirche" gibt es auch eine „Griechisch-Katholische Kirche" sowie katholisch orientalische Kirchen. Seit der Reformation wird im allgemeinen deutschen Sprachgebrauch unter der „katholischen Kirche" die „Römisch-Katholische Kirche" verstanden. Ein wesentliches Merkmal ist die Betonung der kirchlichen Hierarchie und im Unterschied zum Protestantismus und vielen anderen christlichen Kirchen die Verbindung mit dem Papst in Rom als dem „Oberhaupt" in der Nachfolge des Apostels Petrus. Weltweit gibt es 1,25 Mrd. Katholiken → 49f.

Kirche: Der Begriff „Kirche" hat mehrere Bedeutungen. Damit wird einmal ein christliches Gotteshaus bezeichnet. Des Weiteren wird mit „Kirche" die Gemeinschaft von Christen benannt, die im Glauben an Jesus Christus verbunden sind. Auch kann mit diesem Begriff eine Institution mit einem bestimmten Aufbau und einer bestimmten Ordnung gemeint sein, z.B. die „Evangelische Kirche", die „Römisch-Katholische Kirche", die „Griechisch-Orthodoxe Kirche". Im christlichen Verständnis leitet sich Kirche von Jesus Christus her, das Bekenntnis zu ihm ist zentral. Auch nennen sich christliche Sondergemeinschaften Kirche wie z.B. die „Neuapostolische Kirche". – Die Bezeichnung „Kirche" ist nicht geschützt und nicht einer einzigen Gemeinschaft vorbehalten. → 47f.

Konfession (von lat. confessio: Bekenntnis): ein anderes Wort für Kirche. Gemeint sind die großen christlichen Kirchen/Konfessionen wie Protestanten, Katholiken, Orthodoxe. → 25/41/50

Koran: „al-Qur'an al karim" („der gnadenreiche Koran"), das Heilige Buch der Muslime. Es wird als die letztgültige Offenbarung und das Wort Gottes verstanden, das der Prophet Muhammed in den Jahren zwischen 610 und 632 zunächst in Mekka, ab 622 in Medina empfangen hat. – Der Koran besteht aus 114 Suren. Das Heilige Buch des Islam ist nicht zuallererst ein Lehrbuch, auch kein rechtliches Werk, sondern zunächst für die Liturgie und die Predigt bestimmt. Geschichtliches Wissen und die Kenntnis der arabischen Sprache sind notwendig, um den Koran zu verstehen. Im

Koran finden sich viele Elemente, die mit der jüdischen und christlichen Überlieferung viele Parallelen aufweisen. → 68ff.

Muhammed (ca. 570–632) ist der Prophet des Islam (auch Muhammad oder Mohammed genannt). Im Alter von 40 Jahren erhielt er laut Überlieferung erstmals die Offenbarung Gottes in Mekka. Er predigte den Monotheismus und das Gericht Gottes. Auf Druck der Mekkaner mussten Muhammed und seine Anhänger nach Yathrib, dem heutigen Medina, auswandern. Hier lebte er als angesehener Führer. In Medina wurde die erste Moschee des Islam gebaut und auch die religiösen Pflichten der Gläubigen festgelegt. Diese Zeit war gekennzeichnet durch konfliktvolle Auseinandersetzungen mit den befeindeten Mekkanern und später auch mit einigen Stämmen der Juden aus machtpolitischen Gründen. Da Muhammed Mensch war, wurde sein Wirken durch Wunder von Gott her beglaubigt, so die Überlieferung. Das größte Wunder ist für Muslime der Koran, der von Gott offenbart wurde, das zweitgrößte ist der Prophet selbst, der nach islamischer Überlieferung als ein Ummi, ein des Lesens und Schreibens unkundiger Mensch, solch eine Wirkung erzielen konnte. → 70

Muslim/weibl. **Muslima** (arab.) in Deutschland auch oft als Moslem bezeichnet, ist ein Mensch, der dem Islam folgt. Übersetzt bedeutet Muslim „einer, der sich Gott ergibt" im Glauben an Allah, an seinen Propheten Muhammed und im Glauben, dass der Koran das Wort Gottes ist.

Mystik ist Erfahrung! Menschen machen – unter bestimmten Umständen – Erfahrungen von Tiefe und Einheit. Diese Erfahrungen lassen sich nicht einfach erzeugen und wiederholen. Mystische Erfahrungen heben die Trennung zwischen dem, der erfährt, und dem Erfahrenen auf. Es entsteht ein Einswerden mit dem „Gegenüber"; persönliche Begrenzungen sind aufgehoben. Der Mystiker geht auf in das Sein und fühlt sich aufgehoben in der Schöpfung, also in allem, was ist. Die mystische Schau wird als „Versenkung der Seele" verstanden. Es ist eine zutiefst religiöse Erfahrung. – Mystagogie ist die Einführung in diese mystischen Erfahrungen. Diese Mystagogie fördert die Haltung, Ehrfurcht vor dem Sein, vor dem Leben zu entwickeln. Umwelt wird zur Schöpfung, die gegeben wurde und für die Verantwortung zu übernehmen ist. Die Welt besteht nicht nur aus Erklärbarem, Berechenbarem

und Vorhersehbarem. Mystisch denkende und fühlende Personen entwickeln ein Verhältnis zum Geheimnisvollen. In der christlichen und islamischen Mystik geht es um die Erfahrung der Gottesnähe.
Mystik bedeutet hier auch Gottesliebe, von Gott und zu Gott. Die Mystik im Islam nennt sich Sufismus. In dieser mystischen Richtung wird die Erfahrung Gottes durch unterschiedliche spirituelle Praktiken (Tanz, intensive Rezitationen und Ekstase) angestrebt.

Opferfest: Feste sind Höhepunkte des islamischen Jahreskreises, der sich nach dem Mondkalender richtet. Den höchsten Rang nimmt das Opferfest ein. Mit dem Schlachten eines Schafes erinnern sich die Familien daran, dass Abraham bereit war, seinen Sohn Ismael (nicht Isaak wie in der jüdisch-christlichen Tradition) zu opfern. → 82 f.

Ostern ist das größte und wichtigste christliche Fest, das im Frühling (nach der 40-tägigen Fastenzeit) begangen wird. In den Ostergottesdiensten und in den Osterbräuchen wird die Auferstehung Jesu Christi gefeiert, der nach christlichem Glauben die Menschen von Tod und Sünde erlöst hat. → 85

Priester sind geweihte Amtsträger, die die Sakramente der (katholischen) Kirche spenden und zur Verkündigung des Wortes Gottes beauftragt sind. In der katholischen Kirche werden Priester vom Bischof geweiht und sind von ihm beauftragt. In der evangelischen Kirche wird die Gemeindeleitung von ordinierten Pfarrern/Pfarrerinnen ausgeübt, die zur Spendung der Sakramente und zur Verkündigung des Wortes Gottes beauftragt sind. (Diese sind keine Priester.) → 50/124f.

Pflichten (die fünf Säulen des Islam) sind das Bekenntnis des islamischen Glaubens (1), das rituelle Gebet (2), die Armensteuer (3), das Fasten im Monat Ramadan (4) und die Pilgerfahrt nach Mekka (5). Ebenfalls wichtig sind der sorgfältige Umgang und das Beachten der Gebote und Verbote, die den Christen als die Zehn Gebote bekannt sind. → 59/101

Pilgerfahrt: Einmal im Leben soll jeder Muslim und jede Muslima – wenn es ihre Gesundheit erlaubt und es die finanziellen Verhältnisse zulassen – nach Mekka pilgern und dort das Gotteshaus, die Kaaba, besuchen. Das gehört zu den Pflichten (fünf Säulen) des Islam. → 59/61 f./64

Protestantismus: Dies ist ein Sammelbegriff für die geschichtlich gewordene Gestalt des Christentums, die sich aus der Reformation (des 16. Jh.) entwickelt hat. Das Wort kommt vom lat. protestari, was protestieren bedeutet. Damit ist der Protest der mit Martin Luther verbundenen Bewegung gegen das Papsttum gemeint. Es kann aber auch als „pro testare" (Zeugnis ablegen) verstanden werden.

Ramadan heißt der Fastenmonat der Muslime. Er wird beendet mit dem Fest des Fastenbrechens, das in der Türkei auch Zuckerfest genannt wird. Kinder werden mit Süßigkeiten, Geschenken und Taschengeld beschenkt und Bedürftige erhalten Spenden und Unterhalt. → 60/83 ff.

Religion: Das Wort kommt vom lat. relegere, was „sich oft hinwenden" und lat. religari „sich zurückbinden" bedeutet. Religion wird als „sich festmachen an etwas Größerem" oder als „Umgang mit dem Heiligen" verstanden. So ist Suche nach Gott oder dem Absoluten und die Beziehung dazu als religiöse Handlung zu verstehen. Dies geschieht in den großen (Welt)Religionen, also bei den Juden, Christen, Muslimen, Buddhisten und Hindus, mit je eigenen Ausdrucksweisen, Vorstellungen und Bekenntnissen. Zu den monotheistischen Religionen (Glaube an den Einen Gott) zählen (gemeinsam mit dem Judentum) der Islam und das Christentum. → 17/20

Rosenkranz (Tasbih) → 80

Sakramente: heilige Zeichen der Christen, so genannte „Gnadenmittel", durch die Gott mit den Menschen in Verbindung tritt. Sie sind durch das Wort Gottes gegebene, von den christlichen Kirchen übertragene Gnadenmittel im konkreten Leben der Menschen. – Nach katholischer Theologie ist Jesus Christus das Ursakrament. Gottes Wort wird in ihm lebendig und kommt durch ihn zu den Menschen. Er ist heilsam für die Menschen. Dies wirkt sich in seiner Kirche fort, also in der von Jesus Christus zusammengeführten Gemeinschaft. Daher versteht sich die katholische Kirche als „Kirche als Sakrament für die Welt". Innerhalb der katholischen Kirche haben sich sieben Sakramente herausgebildet. Dies sind die (eine) Taufe (Aufnahme in die Gemein-

schaft der Kirche), die Firmung (Geistsendung zum Engagement, zum Glaubenszeugnis und zum mutigen Christsein), Eucharistie (Gemeinschaft mit Jesus Christus und der Kirche), Buße (Vergebung von Schuld und die Zusage der Versöhnung), Krankensalbung (Stärkung in Leiden und Krankheit), Priesterweihe/Ordination (die Bevollmächtigung, Stärkung und Beauftragung als Amtsträger in der Kirche) und die Ehe (als Bestärkung von Gott in der ehelichen Gemeinschaft und Zeichen der Liebe von Mann und Frau – gleichzeitig als Ausdruck der Liebe, die Jesus Christus mit seiner Kirche verbindet).
In der evangelischen Kirche gibt es zwei Sakramente: Das sind die (eine) Taufe und die Tischgemeinschaft im Abendmahl.
Der Islam kennt keine Sakramente. Diese sind „typisch christlich". → 41

Satan ist der Zerstörer. In der christlichen Auseinandersetzung mit den Satansvorstellungen spielt die griech. Bezeichnung „diabolos", womit der Zerstörer gemeint ist, eine wichtige Rolle. In der muslimischen Tradition geht es um Iblis (als Eigenname für den Teufel). Satan wird in christlicher Tradition als gefallener Engel verstanden, der sich Gott nicht unterordnen wollte. Im Islam wird er als „Wesen aus dem Feuer" verstanden. Koran und Bibel bringen dazu Hinweise: Satan verleitet Adam und Eva. Der Satan möchte Jesus versuchen. Die endgültige Entmachtung und Bestrafung des Satans erfolgt beim Jüngsten Gericht. Bis dahin hat er die Macht, Menschen zu verführen. In einer rituellen Steinigung während der Pilgerfahrt verwünschen Muslime den Satan.
→ 61

Scharia bedeutet ursprünglich „Weg". Der Begriff umfasst die göttliche Schöpfungsordnung und wird meist mit „islamisches Recht" wiedergegeben. Erkennbar wird dieser „Weg" für Muslime im Koran und der Sunna, dem Vorbild des Propheten. Die Scharia ist kein fertiges Gesetzbuch. Die Umsetzung der dort niedergelegten Grundprinzipien in konkrete Gesetze ist Aufgabe der Rechtswissenschaft.
→ 101 ff.

Schiiten (vom arab. schia = Partei): zweitgrößte Gruppe im Islam mit geschätzt 200 Mio. Anhängern (10 % der Muslime). Sie haben sich in der Auseinandersetzung um die Nachfolge Muhammeds von der Mehrheit, den später so gennanten Sunniten, getrennt und sich im Laufe der Zeit in Untergruppen geteilt. Im Iran sind die Schiiten heute die bestimmende Kraft. Im Gegensatz zu den übrigen Muslimen haben die Schiiten einen „Klerus" gebildet. → 27/48

Sekten → 29

Sonntag ist für Christen der Tag der Ruhe, des Gebetes und der Erinnerung an die Auferstehung Jesu. Christen kommen zu Gottesdiensten zusammen, in denen sie das Abendmahl/die Eucharistie feiern. → 78

Sunniten: Die überwiegende Mehrheit der Muslime in der Welt; etwa 90 % der weltweit ca. 1,5 Milliarden Muslime sind sunnitisch ausgerichtet. Die Bezeichnung leitet sich von dem Begriff Sunna her, was „Handlungsweise, Brauch, Satzung" bedeutet. Damit ist der Lebensweg Muhammeds gemeint, was Muhammed gesagt und getan hat. Bei den Sunniten existieren weder ein Klerus noch ein oberstes Lehramt. Nicht zuletzt deshalb hat sich eine große Vielfalt der Lehrmeinungen innerhalb der Sunniten entwickelt. Vier gleichberechtigte Rechtsschulen sind heute maßgeblich. → 26/102/48

Tasbih (Rosenkranz) → 80

Umma ist die kollektive Gemeinschaft der muslimischen Gläubigen. Der Islam kennt aber keine Kirchen und keine Priesterschaft. → 47

Hilfreiche Internetadressen zum interreligiösen Dialog

www.aagb.net
Bund der Alevitischen Jugendlichen in Deutschland e.V.

www.chrislages.de
Homepage der Christlich-Islamischen Gesellschaft e.V.

www.cibedo.de
Fachstelle der Deutschen Bischofskonferenz für den interreligiösen Dialog mit Muslimen

www.dbk.de
Deutsche Bischofskonferenz

www.dialogbereit.de
Eine Initiative der Katholischen Landesarbeitsgemeinschaft Kinder- und Jugendschutz NW e.V.

www.ditib.de
Türkisch-Islamische Union der Anstalt für Religion e.V.

www.ekd.de
Evangelische Kirche in Deutschland

www.ekd.de/ezw
Zentralstelle für Weltanschauungsfragen der Evangelischen Kirche in Deutschland

www.huda.de
Netzwerk für muslimische Frauen e.V.

www.integrationsbeauftragter.nrw.de
Der Integrationsbeauftragte des Landes Nordrhein-Westfalen

www.interkultureller-rat.de
Interkultureller Rat in Deutschland e.V.

www.islam.de
Zentralrat der Muslime in Deutschland e.V.

www.islamrat.de
Islamrat für die Bundesrepublik Deutschland e.V.

www.katholisch.de
Das Internetportal der Katholischen Kirche

www.oekumene-ack.de
Arbeitsgemeinschaft Christlicher Kirchen in Deutschland

www.qantara.de
Gemeinsames Internetportal von Bundeszentrale für politische Bildung, Deutsche Welle, Goetheinstitut und Institut für Auslandsbeziehungen

www.schule-weltethos.de
Schulserver der Stiftung Weltethos

www.vikz.de
Verband der Islamischen Kulturzentren e.V.

www.weltethos.de
Stiftung Weltethos Tübingen

Stichwortregister

L

M

N

O

P

R

S

T

Bildnachweis

Matthias Ahlke: Seite 16, 63, 76
Archiv/Privat: S. 42 (oben)
Georg Bienemann: Seite 10, 11, 29, 30, 40, 41, 42 (unten), 43, 45, 49, 58, 60, 66, 78, 86, 92, 93, 94, 107, 108
dpa-Report: Seite 48
Abdullah Efe: Seite 19, 84, 105
Martin Engelbrecht: Seite 51, 70, 80 (rechts)
Norbert Ortmanns/dialogverlag: Seite 96
Gunnar Schulz-Achelis: Seite 50
Peter Wirtz: Seite 38, 46, 75

Die Autoren

Bekir Alboğa M.A., muslimischer Theologe, Doktorand der Islamwissenschaften, war langjähriger Imam in der großen DITIB-Moschee in Mannheim, Beauftragter für den Dialog in der Zentrale der Türkisch-Islamischen Union (DITIB) Köln. Von ihm stammen zahlreiche Publikationen zum Thema Islam und interreligiöser Dialog.

Georg Bienemann, Dipl.-Theologe, längere Zeit ehrenamtlich und beruflich in der (kirchlichen) Jugendarbeit tätig. Seit 1989 Geschäftsführer der Katholischen Landesarbeitsgemeinschaft Kinder- und Jugendschutz NW e.V., Autor verschiedener Publikationen zu weltanschaulichen und religionspädagogischen Themen.

Werner Höbsch, Dipl.-Theologe, hat viele Jahre zu religiösen Jugendfragen im Erzbistum Köln gearbeitet und war seit 1993 als Referent für Weltanschauungsfragen und Spiritualität tätig. Seit 2001 leitet er das Referat für den Interreligiösen Dialog im Erzbistum Köln. Er hat verschiedene Fachveröffentlichungen zu diesen Themen herausgegeben.

Georg Bienemann | Bekir Alboğa | Werner Höbsch